UM LUGAR PERIGOSO

A marca FSC® é a garantia de que a madeira utilizada na fabricação do papel deste livro provém de florestas que foram gerenciadas de maneira ambientalmente correta, socialmente justa e economicamente viável, além de outras fontes de origem controlada.

LUIZ ALFREDO GARCIA-ROZA

UM LUGAR PERIGOSO

COMPANHIA DAS LETRAS

Copyright © 2014 by Luiz Alfredo Garcia-Roza

*Grafia atualizada segundo o Acordo Ortográfico da Língua
Portuguesa de 1990, que entrou em vigor no Brasil em 2009.*

Projeto gráfico
Alceu Chiesorin Nunes
Bruno Romão

Capa
Alceu Chiesorin Nunes

Imagem de capa
Mohamad Itani/ Trevillion Images

Preparação
Márcia Copola

Revisão
Adriana Bairrada
Jane Pessoa

*Os personagens e as situações desta obra são reais apenas no
universo da ficção; não se referem a pessoas e fatos concretos,
e não emitem opinião sobre eles.*

Dados Internacionais de Catalogação na Publicação (CIP)
(Câmara Brasileira do Livro, SP, Brasil)

Garcia-Roza, Luiz Alfredo
Um lugar perigoso / Luiz Alfredo Garcia-Roza. —
1ª ed. — São Paulo : Companhia das Letras, 2014.

ISBN 978-85-359-2489-3

1. Ficção policial e de mistério (Literatura brasileira)
I. Título.

14-08375 CDD-869.930872

Índice para catálogo sistemático:
1. Ficção policial :
Literatura brasileira 869.930872

1ª reimpressão

[2014]
Todos os direitos desta edição reservados à
EDITORA SCHWARCZ S.A.
Rua Bandeira Paulista, 702, cj. 32
04532-002 — São Paulo — SP
Telefone: (11) 3707-3500
Fax: (11) 3707-3501
www.companhiadasletras.com.br
www.blogdacompanhia.com.br

Não há objeto mais profundo, mais fecundo, mais tenebroso, mais deslumbrante que uma janela iluminada por uma candeia.
Charles Baudelaire

1.

Nos últimos dez anos, o professor Vicente Fernandes acumulara uma dúzia de cadernetas contendo anotações breves sobre livros e autores. Não eram resenhas nem comentários críticos, mas considerações que dizia serem "impressionistas" e cujo leitor-alvo era ele próprio. As anotações tiveram início quando sua memória começou a falhar ao tentar se lembrar do nome do autor ou do título de um livro lido havia pouco e quando no balcão da livraria não se lembrava se já lera o livro que estava exposto. Como era um leitor assíduo — além de tradutor —, temia que de suas leituras restassem apenas fragmentos de lembrança inutilizáveis. Com esferográfica preta e letra miúda passou a anotar em ambos os lados de cada folha quadriculada de uma caderneta aquilo que julgava importante dessas leituras, que em muitos casos eram releituras. Era de opinião que a perda da memória era progressiva e irreversível, que a princípio fazia desaparecer as palavras para depois apagar ou embaralhar as imagens, embora fosse de opinião que o processo não apagaria o pensamento.

Aconteceu, porém, de no curso de uma arrumação de gavetas, quando ele retirava as cadernetas e se punha a folheá-las à procura de traça ou mofo, numa delas ter a atenção chamada por uma página quase toda em branco com apenas alguns nomes no centro. Voltou atrás e viu que era de fato uma lista de nomes no centro da página; nomes de mulheres, dez ao todo, cada um numa linha, sendo que um deles, Fabiana, estava circunscrito, também à caneta. Abriu a primeira página do pequeno caderno e verificou a data: 2001. Dez anos. Não se lembrava de ter feito aquela lista, mas a letra miúda e regular era sua. Repassou a série de nomes, concentrando-se em "Fabiana". Não se lembrava de nenhuma Fabiana. Pelo menos, ninguém de suas relações. O mesmo acontecia com os demais nomes. Não sabia quem eram aquelas mulheres nem a razão pela qual seus nomes ocupavam lugar de tanto destaque num caderno cujo espaço era aproveitado ao máximo. Não sabia sequer se eram nomes de mulheres reais ou se eram apenas nomes sem referentes de carne e osso. O nome Fabiana continha, além da linha que o circunscrevia, uma força, embora ele não soubesse dizer se de atração ou de repulsão, se para o bem ou para o mal. Procurou nas agendas mais recentes outra referência ao nome ou a algum outro da lista, mas não encontrou nenhuma. Copiou os nomes num pedaço de papel e guardou-o na carteira.

Vivia sozinho havia mais de dez anos. A decisão fora tomada logo após sua aposentadoria do serviço público federal, aos quarenta anos de idade, por invalidez. Os proventos de aposentado eram suficientes para pagar a prestação do apartamento de sala e quarto em Copacabana e para as despesas pessoais. As demais despesas eram atendidas com seu trabalho de tradutor do inglês e do francês para duas grandes editoras, uma do Rio e outra de São Paulo. Levava uma vida tranquila, de hábitos metódicos. Até aparecer aquela lista.

O nome destacado — assim como os outros nove — era apenas um nome e ele sabia que não podia lhe fazer mal, estava naquele caderno havia dez anos e podia continuar lá por mais dez sem que nada de mau acontecesse. O fato de ter decidido arrumar as gavetas, coisa que fazia uma vez por ano sempre no mês de junho, e de ter se deparado com uma lista de nomes escritos por ele mesmo não tinha o poder de alterar a ordem do mundo exterior. Uma gaveta não era uma caverna mítica da qual pudesse sair um monstro ameaçador... a não ser para uma imaginação doentia... pensou ele. Para um homem normal, um nome de mulher deveria liberar lembranças agradáveis. O que o perturbava, porém, era o fato de não haver nenhuma lembrança ligada àquele nome nem a nenhum outro da lista, como também o de ter sido ele a escrever o nome e traçar um círculo ao redor dele.

Era sábado. As arrumações eram feitas sempre aos sábados. Como não tinha nenhum compromisso com horários e seu único trabalho eram as traduções, que podiam ser feitas a qualquer hora do dia ou da noite e em qualquer dia da semana, a arrumação das gavetas, assim como a dos livros, das roupas ou de algum outro item da lista de objetos a serem verificados todos os anos, poderia ser feita em qualquer outro dia. Mas havia mais de uma década que acontecia sempre no primeiro sábado de junho. E ele não pretendia alterar esse calendário.

Continuou a arrumação das gavetas e de algumas caixas guardadas nas prateleiras mais baixas da estante. O objetivo primário da arrumação cedera lugar a outro mais importante, que era encontrar algum indício capaz de conduzir à descoberta do significado daquela lista. A busca prosseguiu pela manhã e entrou pela tarde até quase o anoitecer, quando o cansaço e a fome o obrigaram a parar para tomar banho e sair para comer alguma coisa.

Morava na rua Barata Ribeiro, no coração de Copacabana. No raio de duas quadras, dispunha de um comércio intenso e variado o bastante para não precisar ir mais longe a fim de prover suas necessidades, e àquela hora os restaurantes estavam vazios. Bastou atravessar a rua para comer frango assado com batata frita acompanhado de cerveja num minirrestaurante defronte ao prédio onde morava. O que sobrou, mandou embrulhar para viagem. Enquanto jantava, não deixara de pensar um só instante na lista, em especial no nome Fabiana. De volta ao apartamento, procurou no armário do quarto uma agenda ou caderneta de endereços antiga que contivesse alguma referência àqueles nomes, mas tinha a impressão de que, quanto maior era o esforço de chegar a algum fragmento de memória que servisse de sinal para o caminho a tomar, mais se aprofundava o esquecimento.

Lera, havia tempo, que a memória tinha tanto a função de lembrar como a de esquecer, sendo que esta última é que tornava viável a primeira. O que ele não sabia era se naquele caso o esquecimento consistia apenas na ocultação do acontecimento ou na destruição completa do material mnêmico referente a ele. Na primeira hipótese, haveria alguma esperança de encontrar o material oculto, bastava dispor de indícios que conduzissem à recuperação dos caminhos mnêmicos perdidos; na segunda hipótese, o acontecimento destruído pela memória estaria perdido para sempre. Mas ele havia lido também que na memória nada se perde, que o passado se conserva integralmente, e que o esquecimento é uma defesa contra a emergência desse passado armazenado cada vez que precisamos recorrer a ele. Isso queria dizer que a função maior e mais importante da memória não é lembrar, mas esquecer. Esquecemos para não nos afogarmos num interminável tsunami de lembranças. No caso do nome Fabiana, ele tinha apagado a lembrança, mas não tinha apagado a lista da caderneta. Essa lista ficara como signo externo de algo que fora esquecido ou como fragmento de algo que se perdera.

Não devia ter tomado cerveja durante o jantar, dava moleza e sono, e era muito cedo para dormir, acordaria no meio da madrugada sem sono e sem disposição para ler ou trabalhar. Recostou-se no sofá, de frente para a janela, e ficou olhando para o nada. O apartamento, no último andar de um prédio de dez pavimentos, era voltado para o mar, o que lhe propiciava uma ampla vista para o céu, mas nenhuma para o mar devido aos prédios do outro lado da rua e das demais ruas até o paredão formado pelos edifícios da avenida Atlântica. De qualquer modo, o céu diante dele se estendia ao infinito por cima dos prédios fronteiros, ampliando o pequeno espaço interno de que dispunha. Essa abertura para o exterior era, porém, apenas visual, já que ele mandara instalar janelas duplas com vidros grossos tanto na sala como no quarto, para eliminar o barulho proveniente do tráfego da Barata Ribeiro. O pequeno ruído residual era abafado pelo ar-condicionado ou trocado pela vibração deste. Vivia numa caixa fechada, confortável e silenciosa. Deixou a consciência fluir livremente, chegou a cochilar algumas vezes, mas despertava em seguida. Permaneceu deitado, durante um tempo não definido, nesse estado fronteiriço entre a vigília e o sono, até sentar-se de maneira abrupta e de todo acordado. Não fora despertado por nada externo, mas por algo proveniente da sua própria interioridade, imagens do corpo nu de uma mulher: uma perna longilínea, uma curva de quadril, a forma particular de um umbigo, mas nenhum rosto, nenhuma imagem do corpo inteiro; não era sequer capaz de dizer se eram imagens parciais de um mesmo corpo ou de corpos diversos, mas tinha certeza de que eram imagens de um corpo nu. Também não sabia dizer se aquelas imagens tinham alguma relação com os nomes escritos na caderneta.

Levantou-se, pegou na gaveta da mesa de trabalho um bloco de notas, e registrou tudo o que lhe ocorrera sobre o nome Fabiana e sua possível relação com as imagens de detalhes do corpo feminino. Deixou o bloco ao alcance da mão, sobre o sofá; tinha outro junto ao computador e ainda outro no quarto, sobre a mesa de cabeceira. Um complicador nessa sua busca de lembranças era o fato de não ter amigos aos quais recorrer para ajudá-lo quanto aos nomes ou de forma direta quanto às mulheres.

Anoitecera e o recorte dos prédios contra o céu fora substituído pelas luzes dos apartamentos. Era raro ele olhar a rua e o movimento de carros e pedestres. Mantinha fechada o tempo todo a janela dupla, para se proteger do barulho e da poeira. Como tinha uma quantidade considerável de livros, cadernos, pastas e caixas disputando lugar na estante, precisava evitar o depósito de impurezas proveniente da rua. Apesar de a estante ocupar toda a extensão da parede, ela só ia até dois metros de altura para facilitar-lhe o acesso. Vivia sozinho. Não queria se arriscar a subir em escadas e levar um tombo sem ter ninguém para socorrê-lo. Não é pequeno o risco que corre um morador solitário — sobretudo se não é mais jovem — de escorregar no banheiro, de cair de uma escada ao pegar um livro numa prateleira mais alta ou ao trocar uma lâmpada. Ele dispunha de alguns mecanismos e estratégias para pedir socorro, salvo, é claro, nos casos de perda de consciência. Para evitar possíveis acidentes, mandara construir uma estante na qual teria acesso a qualquer das prateleiras sem precisar fazer uso sequer de bancos (tão perigosos quanto as escadas).

Procurava não se concentrar no problema que ocupara seu pensamento o dia todo. No entanto, quanto mais insistia, mais crescia a resistência a uma revelação, mínima que fosse. O jeito era distrair as defesas, aproximar-se pelos cantos e lograr entrada por uma fresta da consciência. Tornou a deitar-se no sofá e procurou relaxar. De olhos fechados, experimentou fazer da escuridão interna uma espécie de sala de projeção de imagens, das quais já tivera uma pequena amostra depois de descobrir a lista na caderneta. Surgiram lembranças as mais variadas, mas nenhuma que remetesse a algum dos nomes. Dormiu no sofá. Passava da meia-noite quando acordou com a viva sensação de ter sido despertado de um longo sonho do qual não tinha nenhuma lembrança. Decidiu adotar a tática contrária, insistir nos fragmentos de lembranças surgidos: a perna longa, o abdome bem torneado, a forma do umbigo, os pelos pubianos abundantes... os pelos pubianos... aí estava uma imagem nova, não aparecera quando da primeira lembrança... houve portanto um acréscimo. Bom sinal. Eram, sem dúvida, imagens parciais do mesmo corpo... Os braços eram também longos, assim como as mãos e os pés... Os seios eram firmes, nem grandes nem pequenos... Era uma mulher alta, de cabelos pretos e encaracolados. As partes combinavam umas com as outras. O detalhe perturbador era a ausência completa do rosto. Havia a cabeça, mas não havia olhos, boca, nariz, orelhas... Era uma mulher sem rosto. Ele esperava que com insistência continuada iria aos poucos completando o corpo. A dúvida era se esse completamento seria de fato produto da lembrança ou se a imaginação é que preencheria as lacunas da memória. Mulher lembrada ou mulher imaginada? Eram quase duas da madrugada, já tinha passado da sala ao quarto e, deitado na cama, continuava buscando o rosto da mulher cujo corpo ocupava todo o espaço da sua consciência, semelhante a um grande painel, um outdoor interiorizado. Acordou várias vezes durante a noite procurando nos sonhos aquilo que não conseguira encontrar na vigília.

No dia seguinte, acordou mais tarde que de costume. Ainda sob efeito da excitação da véspera, tomou café enquanto passava os olhos no jornal de domingo sem conseguir reter nenhuma notícia nem ler nenhuma matéria até o fim. Qualquer atividade intelectual ou física era atravessada pela busca de uma mulher correspondente ao nome Fabiana. Pegou o bloco que deixara à mão e fez uma lista das várias áreas daquilo que considerava seu espaço de vida: "profissional", "amizades", "parentes", "vizinhos"... Cada área ficava dentro de um quadrado do qual saíam outros quadrados menores correspondentes às subáreas, todas elas abrangendo a década de 1990. Em seguida ligou os quadrados maiores entre eles e nomeou as linhas de relação. Terminado o esquema gráfico, concentrou todo o esforço na primeira área e suas subdivisões. Procedeu como um arqueólogo, mapeando o terreno e procurando traços de um passado perdido. Cada pequeno indício ele anotava no bloco, e buscava associações como se estivesse numa impossível sessão psicanalítica em que fosse ao mesmo tempo psicanalista, paciente e arqueólogo. Acontecia de às vezes se lembrar de mulheres cujo nome não recordava, vagas imagens femininas eram evocadas sem que tivesse a menor ideia da área a que pertenciam. O mais importante, porém, era que, mesmo nas poucas vezes em que ocorreu a lembrança de alguma mulher que ele de fato conhecera um dia, essa coincidência era destituída de significado afetivo. Considerou a tentativa fatigante e inútil.

À tarde, resolveu trocar a arqueologia pseudopsicanalítica pela informática e procurou nas centenas de arquivos armazenados nos seus computadores (tinha dois, um desktop e um notebook) o nome Fabiana ou algum outro da lista. Não encontrou nenhuma referência em nenhum dos trezentos e tantos arquivos buscados. Mas o domingo ainda não terminara, ele podia fazer uso do que restava da tarde e da noite para retomar as buscas no campo da memória, buscas que não considerava isentas de perigo. A imagem que fazia da sua interioridade, assim como da interioridade de qualquer pessoa, era a de uma gigantesca caverna cujo teto e fundo se perdiam numa extensão que luz nenhuma alcançava. Aquele que se aventurasse nesse mundo começaria se deslocando sobre uma superfície suave, clara e com caminhos bem demarcados, até chegar a uma região cuja irregularidade e iluminação precária o desorientariam para no final atingir a região limítrofe além da qual havia apenas escuridão e um vazio desconhecido. Dessas regiões mais remotas, os sonhos em geral forneciam apenas uma imagem leve e distorcida, enquanto a loucura era manifestação externa do horror interno. O que ameaçava o caminhante nessas incursões era não ser capaz de perceber o limite obscuro onde a razão transborda, perder sua identidade e não conseguir mais encontrar o caminho de casa. A memória é um lugar perigoso.

Não saiu para comer. Preparou um sanduíche de queijo, aqueceu o que sobrara do frango assado e da batata frita da véspera, e abriu uma cerveja. Terminado o lanche, lavou a louça, ensacou o lixo e jogou na lixeira, e voltou para o sofá. Tinha um aparelho de televisão no quarto que quase nunca ligava e, quando acontecia, era apenas para assistir ao telejornal. Tinha também um aparelho de DVD que viera junto com a TV mas que nunca fora utilizado. O único aparelho de som que possuía era um rádio antigo, de boa qualidade, mas que também não ligava. Quando estava trabalhando, não gostava de fundo musical. Perturbava sua concentração em lugar de ajudar. Não gostava de música. Não gostava de nada que fizesse barulho e para ele música, com raras exceções, era barulho. Gostava de traduzir, mas o que gostava mesmo era de ler, livre do compromisso de traduzir. As palavras impressas são silenciosas.

Pegou um livro sobre o qual a editora pedira sua opinião e dedicou o resto do domingo a ele. Acordou deitado no sofá com o livro aberto sobre o peito, assustado e sem saber quanto tempo tinha dormido. O relógio de pulso marcava duas e quinze. O corpo estava doído e a boca seca. Sonhara com a fotografia de um corpo nu de mulher num grande outdoor de rua, sendo que os membros estavam separados como os de um manequim de vitrine que fosse colocado naquela posição, com os braços, pernas e cabeça separados do tronco, a face era apenas uma mancha indiferenciada. Não sonhara com uma mulher nua, sonhara com a fotografia de uma mulher nua, e essa mulher estava desmembrada, morta.

A imagem da mulher desmembrada permaneceu presente mesmo horas depois de ele ter acordado na segunda-feira.

Procurou entre as cadernetas de endereços que retirara na véspera das caixas de guardados aquela que fosse mais antiga e que devia conter a maior quantidade de endereços e telefones. Percorreu a caderneta de A a Z, procurando colegas de universidade do tempo em que era professor de literatura. Não se lembrava de quase nada, mesmo assim separou uma dúzia de nomes e escolheu Maria Paula, professora de literatura comparada (estava escrito entre parênteses). Tinha dela uma vaga lembrança: alta, físico de ginasta, conversava com ela às vezes e chegaram a ensaiar um namoro que não fora adiante. Desde que fora afastado da universidade até a data em que anotara a lista de nomes na caderneta, haviam se passado cinco anos. Mesmo que aqueles nomes fossem de pessoas ligadas ao meio universitário, professoras, alunas ou funcionárias, era pouco provável que Paula se lembrasse delas, mas ele tinha alguma esperança de que ela fornecesse uma pista de Fabiana. Fazia quinze anos que não via Paula, nem sabia se ela continuava na universidade e no mesmo departamento... tampouco tinha certeza de que se lembraria dele.

Havia dois números anotados: um em "Paula" e outro em "Maria Paula".

Ligou para o primeiro. Atendeu a secretária eletrônica com a mensagem-padrão que vem com o aparelho, a qual não diz o número nem o nome do assinante. Preferiu não deixar recado.

Ligou para o segundo número. Atendeu uma voz idosa. Aquela não era a casa de Paula, e não conhecia nenhuma Paula nem professora Paula. Voltou a ligar para o primeiro. Não havia nenhuma Paula ou Maria Paula. Ligou para a universidade. Ainda tinha o número da secretaria. Quase ao décimo toque atendeu uma voz arfante. Ele perguntou pela professora Paula. A pessoa respondeu que era faxineira e que ele teria que falar com alguém da secretaria. Ele perguntou se aquele não era o telefone da secretaria. A faxineira respondeu que era, mas que o expediente terminava às cinco e já eram cinco e meia.

O dia passara sem que ele tivesse se dado conta. Não trabalhara, não traduzira nem uma lauda, sentara ao computador apenas para buscar possíveis pistas que o conduzissem a algum daqueles nomes. Na manhã seguinte telefonaria mais uma vez para a secretaria da Faculdade de Letras.

Anotou o conteúdo dos telefonemas e retomou a tradução que estava fazendo dos contos de Poe, interrompida desde a sexta-feira. Trabalhou até as duas da madrugada, parando apenas para um sanduíche por volta das dez da noite. O tempo em que esteve envolvido na tarefa de tradução propiciou uma suspensão temporária das imagens do corpo desmembrado, mas essa suspensão durou apenas enquanto ele estava trabalhando. Assim que o cansaço o fez parar e olhar as horas, as imagens retornaram.

Quarta-feira, meio-dia, a professora Paula acabara de atender sua última orientanda daquela manhã quando recebeu o recado da secretaria de que o professor Vicente estava no telefone.

— Qual professor Vicente? — perguntou ela à secretária.

— Ele disse que já foi professor do departamento. Eu ainda não trabalhava aqui.

— Alô, é Paula falando.

— Paula, é Vicente Fernandes quem fala.

Houve alguns poucos segundos de silêncio que levaram Vicente a temer não ser reconhecido quando...

— Vicente. Que bom ouvir sua voz.

Depois das trocas iniciais sobre o que cada um estava fazendo e de Vicente dizer que precisava falar com ela, combinaram um encontro. Melhor seria um almoço, disse Paula, teriam mais tempo para conversar. A Faculdade de Letras fica na cidade universitária, no campus da ilha do Fundão, perto da ilha do Governador, longe de Copacabana, e Vicente não tinha carro. Mas Paula dava um seminário, às quintas-feiras, na Escola de Comunicação, no campus da praia Vermelha, a poucos minutos de onde ele morava. Marcaram um encontro para dali a dois dias no teatro de arena, dentro do campus e junto ao prédio da escola.

Vicente dissera apenas que precisava falar sobre um assunto importante para ele, referente ao tempo em que era professor da universidade. Acrescentou que não era nada que pudesse afetá-la e que dizia respeito apenas a ele. Não podia assustar Paula com histórias de assombração, que era do que se tratava, pensava Vicente.

Faltavam dois dias para o encontro e ele tentou preencher o tempo até o meio-dia da quinta-feira trabalhando sem interrupção na tradução dos contos de Poe. Não que as histórias de Poe tivessem, pelo seu conteúdo fantástico, o poder de afastar as imagens perturbadoras do corpo desmembrado, mas pelo menos diminuíam a frequência com que estas se apresentavam. Feliz com a receptividade de Paula ao seu chamado, estava curioso para rever a antiga colega, quase namorada. Ela seria agora uma mulher de quase cinquenta anos, provavelmente bem diferente da esbelta professora que ele conhecera. Registrou no bloco que deixara junto ao telefone as linhas gerais do telefonema e a combinação do almoço.

Na quinta, às dez da manhã, Vicente já estava no ponto de ônibus da avenida Copacabana, e antes das dez e meia percorria a pé a alameda principal do campus da universidade. Tinha uma hora e meia até o horário marcado para o encontro. Depois de circular pelo campus, visitar a biblioteca, a livraria e tomar dois cafés, encaminhou-se para o pequeno teatro de arena situado num dos pátios internos do conjunto arquitetônico do início do século XIX e sentou-se no degrau de pedra, à espera. Paula surgiu de uma das galerias da Escola de Comunicação carregando uma pasta de couro que parecia pesada de livros e cadernos. Acenou para ele enquanto descia os degraus do anfiteatro, com a mesma leveza e elegância de quinze anos antes, pensou Vicente enquanto respondia ao aceno e se levantava para recebê-la.

— Você continua bonita e elegante.

— Obrigada. Bom te ver de novo.

— Você não deve ter muito tempo para o almoço — observou Vicente.

— Minha próxima aula é às duas. Temos duas horas para almoçar e conversar. Podemos ir a algum dos restaurantes daqui do campus ou do shopping vizinho.

Como Vicente se mostrou embaraçado com a escolha, Paula sugeriu o restaurante local, para não perderem tempo nas filas de espera dos restaurantes do shopping. O lugar escolhido por ela e onde ainda havia mesas disponíveis era uma espécie de lanchonete que também servia pratos feitos.

— Então, Vicente, o que aconteceu? — perguntou Paula, assim que sentaram.

— Ainda não sei. Antes de tentar explicar, quero que você me diga se esta lista de nomes significa alguma coisa para você — disse ele, e estendeu uma folha de bloco com a lista de nomes.

Paula pegou a folha e leu a lista várias vezes.

— A lista enquanto tal não me diz nada, embora os nomes, cada um por si, remetam quase todos, se não todos, a alunas de diferentes turmas e diferentes períodos, mas não compondo uma mesma lista.

— E o nome Fabiana, que está circunscrito, lembra alguém em especial?

— Uma ex-aluna, não me lembro se foi também sua aluna.

— Você é capaz de descrevê-la?

— Faz muito tempo... Talvez os traços gerais... Mesmo assim...

— Por favor, é importante.

— Era uma moça alta, esguia... Lembro que tinha os cabelos encaracolados... E acho que é tudo que consigo lembrar. Que houve com ela?

— Esse é o problema.

Vicente contou o que estava acontecendo com ele desde que encontrara a caderneta com a lista de nomes.

— Mas, Vicente, que tem isso de mais? É apenas uma lista.

— Eu sei que é uma lista. É uma lista que escrevi em 2001. Qualquer que tenha sido o seu significado, deixou de ter importância, a ponto de ser esquecida por completo até eu descobri-la na semana passada. A partir de então, meus dias e minhas noites têm sido um inferno. Tenho certeza de que não se trata apenas de uma lista.

— O que você acha que pode ter acontecido?

— As imagens que me têm vindo à memória, tanto em sonho como durante a vigília, coincidem com a descrição que você acabou de fazer dessa Fabiana, e é essa imagem que se impõe de forma repetida, sempre fragmentária, de um corpo desmembrado, imóvel. E eu não tenho lembrança alguma dessa pessoa nem de nenhuma das outras que estão na lista. Assim como não tenho a menor ideia de quem seja a Fabiana que você descreveu.

— E daí? Quantos alunos temos ou tínhamos por semestre? Você conseguia guardar o nome e a fisionomia de cada um deles? Isso, no caso desses nomes pertencerem de fato a ex-alunas.

— Minha preocupação maior no momento não é se são ex-alunas, ex-amigas ou ex-namoradas, o que me interessa saber é se essas pessoas são reais ou imaginárias.

Os pratos foram trazidos por uma garçonete.

Enquanto comiam, a conversa passou a girar em torno da vida que estavam levando.

— Como está você de trabalho? — perguntou Paula.

— Continuo fazendo tradução. A demanda das editoras é regular, sempre tenho trabalho, e faço o horário que me convém. Além disso, continuo a contar com minha aposentadoria.

— E a saúde?

— Nunca mais tive nada... pelo menos, nada comparável em intensidade e duração com as crises daquela época.

Durante o cafezinho, Paula voltou ao tema principal:

— Se você quiser, posso tentar localizar essa Fabiana pelos registros dela na universidade. Talvez através da família.

— Se conseguir localizar uma delas, talvez possa chegar às outras. Ou ao contrário, localizando as outras, talvez possa chegar a ela, Fabiana.

— Procure se tranquilizar. Não há motivo para ficar transtornado por causa de uma lista feita por você mesmo.

— Eu estou transtornado não apenas pela lista que fiz como pelo que eu possa ter feito.

— E o que você pode ter feito?

— Posso ter feito algum mal a alguma dessas mulheres.

— O que você acha que fez?

— Não sei.

— Alguma coisa você sabe, para estar tão assustado.

— Mas o que me assusta é exatamente não saber. E essas imagens são ameaçadoras.

— Você por acaso está fazendo a fantasia de ter matado uma dessas mulheres?

— Acho que sim...

— "Acho que sim" o quê? Que está fazendo a fantasia ou que matou?

— Mais ou menos isso...

— Vicente, se é esse o problema, basta encontrarmos a Fabiana para acabar com esse fantasma que está te assombrando.

Vicente ficou olhando para ela, querendo acreditar que a coisa era assim tão simples, mas tendo a certeza de que não era.

— Agora tenho que ir — disse Paula. — Pegou um guardanapo de papel, anotou um número e estendeu para ele. — Anote também o seu. Assim que eu tiver alguma notícia, ligo pra você.

Saiu apressada, pensou Vicente, não entendeu o que está acontecendo, não se trata de uma lista de nomes escritos numa caderneta velha sem importância. A lista com os nomes eu posso queimar e jogar as cinzas na privada.

Chamou a garçonete e pediu a conta. Preferiu voltar a pé para casa. Iria pensando no que Paula dissera sobre a possibilidade de localizar Fabiana. Essa tinha sido a parte boa da conversa; a parte desagradável foi a tentativa de desqualificar a importância da lista, e em particular a importância de Fabiana, como se ele fosse um delirante.

Logo que começou a andar, percebeu que a ideia de voltar a pé talvez não tivesse sido boa, seria obrigado a atravessar o túnel do Leme pela estreita passarela para pedestres, quase sempre ocupada por pedintes e pivetes. Tinha medo deles. Mas conseguiu ultrapassar a barreira de corpos e chegar ileso ao outro lado do túnel. O mar à frente atestava que retornara ao seu bairro, embora poucas foram as vezes, depois de adulto, em que enfrentara as ondas da praia de Copacabana. Gostava de passear pelo calçadão no final da tarde, mas já não se sentia atraído pela combinação de sol, areia e água salgada. Enquanto caminhava, tentava se lembrar dos detalhes do encontro no teatro de arena e do almoço e articular as partes umas com as outras. Completou o trajeto até seu prédio, caminhando pela avenida Atlântica em vez de seguir pela Barata Ribeiro, que era a rua dele. Achava que a visão do mar ampliava não apenas a visão, mas também o pensamento. Entrou em casa com uma certeza: Paula era uma pessoa legal, havia atendido de pronto ao seu apelo, mas teria de falar com ela mais uma vez e convencê-la a mudar o modo de pensar sobre ele. Pegou o bloco que deixara junto ao computador e transcreveu o mais fielmente possível a conversa que tivera com ela, inclusive os comentários subjetivos que ele próprio fizera a respeito. Pensou em passar a limpo na caderneta do ano, mas optou por não misturar anotações sobre leituras com anotações sobre experiências pessoais diversas.

Eram quase três horas da tarde e ainda não havia traduzido nem uma lauda. Nos dois dias anteriores trabalhara bastante, mas não podia deixar que os recentes acontecimentos — ou seriam sentimentos? — perturbassem o ritmo normal de sua produção, que era de dez a doze laudas diárias. Sentou-se na cadeira giratória, ligou o computador e foi direto para o texto de Poe, conferindo no original o ponto em que parara na véspera. Digitou ininterruptamente até a hora do lanche noturno. Não tinha por hábito jantar, preferia um lanche com queijo e frios acompanhado de café com leite e, vez por outra, uma torta de maçã de sobremesa. Para isso não precisava sair de casa, tinha tudo o que precisava na geladeira. A sanduicheira elétrica se encarregava do resto. A conversa com Paula, o trabalho de tradução, o preparo do lanche, nada disso eliminara ou diminuíra a frequência das imagens mnêmicas, que permaneceram com o mesmo padrão das últimas vezes, um corpo nu desmembrado e sem rosto.

Depois de ter lavado a louça, ensacado o lixo e jogado na lixeira, retomou o trabalho de tradução. Desde que descobrira a lista de nomes na caderneta preta, não pusera as mãos nela nem em nenhuma outra. A tradução era o que melhor funcionava como barreira protetora contra as imagens-fantasma. Trabalhou até não conseguir mais ler com clareza o texto de Poe, cuja tipologia não era muito confortável.

Não precisou chegar ao quarto de dormir para as imagens recrudescerem. Deixou que elas aflorassem livres, talvez viessem acompanhadas de outras novas; no entanto, a única coisa que se modificou foi o tempo de permanência de cada uma delas, como se tivessem pressa em se recolher. Mas não era esse o motivo (a pressa) que as fazia retornar, já que elas retornavam inúmeras vezes, mantendo porém a rapidez do fluxo. Um detalhe diferencial que se acrescentou às anteriores foi o aparecimento da imagem de Paula, como se esta e aquelas fizessem parte do mesmo contexto ou pertencessem ao mesmo passado.

Na manhã seguinte, sexta-feira, as imagens ainda estavam lá, como que à espera de que ele acordasse. Nem o banho nem o café da manhã eliminaram o mal-estar, que diminuiu de intensidade apenas quando ele retomou o trabalho de tradução. O quadro manteve-se o mesmo durante o fim de semana.

Na segunda-feira ao meio-dia, Paula ligou. Ele imediatamente pegou a caneta e o bloco.

— Vicente, notícias não muito boas. Não conseguimos encontrar Fabiana.

— Não conseguimos... Você e quem mais? Contou para alguém o que está acontecendo comigo?

— Claro que não. Estou falando no plural porque estava procurando nos arquivos da faculdade com a ajuda de uma funcionária. O endereço que está nos arquivos não é mais o dela há muitos anos, confirmamos por telefone. Ela não deixou o novo endereço nem o novo telefone.

— A secretaria da faculdade não tentou durante todos esses anos entrar em contato com ela?

— Eles não precisaram entrar em contato com ela.

— Agora não temos mais como saber...

— Sinto muito. Mas pelo menos você pode ficar tranquilo quanto a Fabiana. Ela não morreu, apenas mudou de endereço.

— Como sabe que ela não morreu?

— Ora, se ela tivesse morrido, alguém saberia. Haveria algum registro.

— Que registro?

— Sei lá... Um anúncio fúnebre no jornal... As colegas de faculdade teriam comentado...

— Não tem mais colega de faculdade, a turma dela deve ter se formado há mais de uma década.

— O que estou querendo dizer é que você não precisa mais se preocupar com ela.

— Eu nunca precisei me preocupar com ela... Eu nem sei quem ela é.

Passados três dias, Paula tornou a ligar. Também ao meio-dia.

— Vicente, como você está?

— A mesma coisa... se está perguntando pelas imagens...

— Elas continuam?

— Continuam.

— A funcionária da secretaria que me ajudou na busca dos nomes da sua lista me procurou para dizer que alguns deles constavam também das listas de turmas da época da Fabiana. Como você deu apenas os prenomes, não havia como confirmar se eram os mesmos.

— Ela tentou entrar em contato com alguma delas?

— Tentou, mas não conseguiu encontrar nenhuma. Não moravam mais no mesmo endereço e os novos moradores não sabiam informar para onde elas haviam se mudado.

Vicente ficou em silêncio durante um tempo demasiado longo.

— Vicente, você está me ouvindo?

— Estou... Desculpe, Paula, preciso desligar.

Tinha que anotar.

Paula desligara o telefone sem saber de forma clara qual a reação dele ao seu telefonema. Não parecera de tranquilidade e alívio. Aliás, tranquilidade era um estado de espírito raro de ser encontrado nele, pelo menos na época em que foram colegas. Nas reuniões de departamento ou num simples encontro ocasional de professores, ele se esforçava por aparentar calma e tranquilidade, mas era visível que cada músculo, cada nervo, do seu corpo se encontrava no estado máximo de tensão suportável. Como era um bom professor, os alunos o respeitavam e ele mantinha com a turma uma relação amistosa. Mas fora num desses momentos de aparente tranquilidade que ele tivera o primeiro ataque, em plena aula, o qual o deixara desacordado na frente de toda a turma; o segundo, de igual intensidade, acontecera poucos meses depois; no terceiro, o mais forte, ele caíra sobre uma aluna sentada na primeira fila. Não se lembrava do episódio, ele lhe fora contado pelos colegas e alunos. Não era um homem tranquilo.

A cabeça doía e ele tinha dificuldade de concatenar as ideias. Deitou-se no sofá, mas a dor aumentou, levantou-se e ficou andando pelo apartamento. Era como a cabeça doía menos. Tentou se lembrar do nome do comprimido que era eficaz em dores como aquela e do lugar onde estava guardado. Não lembrou, mas abriu todas as gavetas e armários onde a cartela com os comprimidos pudesse estar e acabou encontrando-a. A dor não passou de todo, mas diminuiu a ponto de permitir-lhe pensar sobre o comunicado de Paula. Por que ou para que aquele segundo telefonema? Se o objetivo era acalmá-lo, o efeito foi o oposto. "Você não precisa mais se preocupar com ela"... De onde ela retirou essa conclusão estúpida? Com que intuito? Assustá-lo ainda mais? Se nenhuma das outras alunas foi localizada, por que telefonar comunicando isso? Longe de esclarecer, tornou tudo muito mais estranho. Estava arrependido de ter recorrido a Paula e de ter revelado a história da caderneta. Podia ter apenas perguntado se ela se lembrava de alguma Fabiana, sem mencionar os sonhos e o aparecimento repetido de imagens que o assustavam. Paula por certo percebera o quanto ele se sentia ameaçado. O que não era bom. Sentiu ânsia de vômito e um pouco de tontura. Tomara apenas uma xícara de café às sete da manhã. Agora era quase uma hora e ainda não almoçara. Nem tinha vontade. Naquele momento, o que mais queria era que cessasse a náusea. Foi para o banheiro, sentou-se no chão ao lado do vaso sanitário e ficou à espera do vômito... que não vinha. Passado um tempo, levantou-se, apertou a torneira do lavatório que estava pingando e retornou à sala.

Pensando com frieza, concluiu que o mistério que estava vivendo não dizia respeito à realidade, mas às palavras. De modo mais preciso, a uma série de nomes escritos numa caderneta. Era onde estavam as palavras que a decifração do enigma devia ser buscada. O nome Fabiana não apontava nenhum habitante do mundo das coisas e sim o mundo das palavras. Mas, se fosse esse o caso, por que estaria a palavra "Fabiana" provocando com tanta insistência o surgimento de uma imagem, ainda que fragmentada, que ele sentia como íntima e ao mesmo tempo estranha e desconhecida? Era o que o intrigava.

Depois de comer um sanduíche e tomar uma xícara de café, pôs-se a separar antigas agendas e cadernetas de telefones, cadernos avulsos, pastas com anotações do tempo em que era professor. Concentraria a busca em "Fabiana", para em seguida ampliá-la e incluir os outros nove nomes da lista. Começaria pelos registros mais antigos. Achava que o material mais promissor eram as agendas. Tinha agendas desde antes do tempo da faculdade. Não eram tão ricas como seriam se fossem diários, mas continham registros dos últimos vinte anos. Era onde esperava encontrar Fabiana.

* * *

Na semana seguinte, Vicente dividiu seu tempo entre o trabalho de tradução e a busca, nas agendas, cadernos, cadernetas e pastas, de algo que lançasse alguma luz sobre o mistério dos dez nomes.

Como a caderneta com a lista de nomes datava de 2001, considerou que podia estabelecer o ano 2000 como ponto de partida para a busca. Naquela data, já morava sozinho no apartamento da rua Barata Ribeiro. Não passava pela sua cabeça a ideia de morar com alguém. Sempre fazia valer o princípio de não prolongar seus encontros amorosos além da manhã seguinte. Doze horas fora o tempo máximo que uma mulher permanecera naquele apartamento. Era raro acordar com uma mulher na cama. Preferia o incômodo de chamar um táxi no meio da noite para levá-la em casa. Tomar café da manhã acompanhado de uma estranha era algo que estava fora de questão. Várias foram as mulheres cujo nome no dia seguinte não lembrava e tampouco se preocupara em anotar. O objetivo dessa nova busca não era mais encontrar algum daqueles nomes em meio ao amontoado de cadernos, mas encontrar algum sinal, mesmo que distorcido, capaz de conduzir a algum deles, de preferência ao nome Fabiana ou quem sabe à própria Fabiana. A vantagem das agendas era que elas já traziam anos, meses, dias e horas. A desvantagem era que as anotações eram burocráticas, puros lembretes de compromissos ao longo da semana; raramente aparecia um comentário ou uma indicação da importância do compromisso. Apesar de conter o registro dos últimos onze anos, as agendas não revelaram nada referente a Fabiana ou Fabi ou qualquer apelido semelhante.

As imagens haviam mudado suas formas de apresentação: não surgiam mais em série durante todo o dia, mas a intervalos maiores e em flashes intensos. Não sabia dizer qual forma era pior. Essa mais recente tinha o inconveniente do inesperado e do susto que lhe provocava abalos preocupantes. Por precaução, tomara a iniciativa de aumentar a dose da medicação. Com ou sem medicação, o rosto da mulher continuava não revelado.

Das agendas passou para os cadernos de quando ainda dava aulas na universidade. Neles havia todo tipo de anotação, desde roteiros de aulas a endereços de restaurantes, telefones de alunos, referências bibliográficas, trechos de livros e resenhas publicadas nos suplementos literários. A busca tinha que ser feita com muito cuidado, de modo a tornar visível ou legível um dos nomes da lista. Foi mais cansativa do que a feita nas agendas, pelo próprio caráter anárquico das anotações. Encontrou alguns nomes iguais aos da lista, mas dentro de contextos que nada tinham a ver com ele ou com relações pessoais próximas a ele. De qualquer maneira, o nome Fabiana não aparecera nem uma vez sequer. As buscas eram intercaladas com o trabalho de tradução, que andava em ritmo mais lento: em nenhum dos dias da semana conseguiu cumprir a cota de doze páginas.

A última busca foi feita nas pastas com folhas soltas, sendo que o critério utilizado para estarem juntas na mesma pasta era o ano em que foram guardadas, e não o conteúdo. Eram dezenas de pastas contendo cada uma dezenas de folhas soltas. Tal como nas buscas anteriores, ali não foi encontrado nada que remetesse de forma direta ou indireta a algum dos nomes da lista. A semana se encerrou com a busca mais extensa e minuciosa que ele já fizera... e também a mais frustrante. Nas duas semanas seguintes, alternou estados de grande agitação motora com estados de euforia e confusão mental. A imagem da mulher desmembrada retornara com força. Imaginação e realidade se misturaram a ponto de ele ter de suspender o trabalho de tradução e se abster de qualquer tarefa caseira. A simples tarefa de preparar um café na cafeteira elétrica tornara-se impraticável. Deixou-se cair no sofá e já não foi capaz de saber se havia tomado banho ou se havia tomado os remédios. Tinha uma vaga ideia de ter saído à rua para comer, mas não se lembrava aonde fora nem como voltara para casa. Quando os jornais começaram a se acumular à sua porta e ele deixou de responder às chamadas do interfone, o porteiro e o síndico decidiram forçar a maçaneta para entrar no apartamento. A porta estava destrancada e se abriu sem necessidade de força. Encontraram-no deitado no chão, como se tivesse rolado do sofá. Em menos de meia hora Vicente era atendido pelo serviço médico de urgência chamado pelo síndico. O médico confirmou a crise e verificou se a medicação que ele estava tomando obedecia à prescrição. O que não podia ser confirmado quando ele acordou era se procedera de acordo com a prescrição médica e o tempo que se encontrava naquele estado.

2.

Manhã de quinta-feira, o delegado Espinosa recebia um grupo de jovens policiais recém-saídos da academia de polícia em visita às delegacias da cidade antes de serem designados para seu primeiro posto. Eram oito na sala de reuniões do térreo sentados em torno do delegado, que expunha o cotidiano da 12ª DP para ouvidos e olhos atentos. Vários desses policiais haviam concluído também o bacharelado em direito e eram futuros candidatos ao cargo de delegado, mas naquela etapa inicial da carreira seriam todos inspetores. Ao meio-dia, Espinosa deu por encerrada a primeira parte do encontro e marcou a segunda para as duas da tarde. Ao passar pelo balcão de atendimento de volta ao seu gabinete, a atendente apontou de forma discreta para um homem sentado na sala de espera.

— Ele está há mais de uma hora esperando pelo senhor. Não quer falar com mais ninguém. Diz que se chama Vicente e que é professor universitário.

Quando Espinosa se dirigiu a ele, o homem se levantou. Eram da mesma altura e aparentavam a mesma idade.

— Professor Vicente? Sou o delegado Espinosa.

— Prazer, delegado. Não sabia se tinha de marcar hora ou se podia vir direto.

— Não precisa marcar hora. Vamos ao meu gabinete, lá podemos conversar com mais tranquilidade.

Subiram para o segundo piso da velha casa adaptada para delegacia policial. Espinosa percebeu o olhar de surpresa do professor ao entrar no gabinete. Talvez esperasse algo maior e mais austero. Sentaram-se frente a frente, tendo a mesa do delegado entre eles.

— Então, professor, em que posso ajudá-lo?

— Primeiro eu gostaria de me apresentar. Meu nome é Vicente Fernandes. Sou professor aposentado da Universidade Federal do Rio de Janeiro. Atualmente trabalho como tradutor para editoras do Rio e de São Paulo. Sou divorciado e não tenho filhos. Moro na rua Barata Ribeiro, a poucas quadras daqui. O motivo que me fez procurar o senhor talvez pareça estranho.

— Não se preocupe com isso.

Vicente Fernandes contou de modo detalhado a descoberta da caderneta com a lista de nomes, um deles em destaque; o posterior surgimento de imagens de partes do corpo feminino desnudo até o aparecimento da imagem completa da mulher, sem rosto; falou da busca nos arquivos da universidade; e fez menção ao seu distúrbio neurológico, um tipo de síndrome de Korsakov.

— E como é essa síndrome? — perguntou o delegado.

— Ela é causada por traumatismo craniano seguido de processo infeccioso. O sintoma principal é a perda ocasional de consciência acompanhada de perda da memória recente e da memória retrógrada. A pessoa perde extensos períodos da memória, que não são mais recuperados. Quando essa perda é muito grande, a pessoa corre o risco de perder a própria identidade. Para compensar, ela fabula, quer dizer, ela ficciona uma cena ou um longo período capaz de tamponar essas lacunas da memória. Quer dizer, na falta de memória ela faz uso da imaginação, inventa esses períodos perdidos e passa a acreditar piamente nessa invenção. O que ela conta de sua vida perdida não é uma mentira, é um substituto construído pela sua própria imaginação... sem que ela tenha consciência disso.

— Há quanto tempo aconteceu esse acidente? — indagou Espinosa.

— Eu tinha quarenta anos. Faz doze anos. Tomo medicação até hoje e provavelmente tomarei até morrer.

— Mas continue seu relato, por favor — disse o delegado.

— Passei as últimas semanas vasculhando cadernos, cadernetas, agendas, anotações pessoais onde pudesse encontrar alguma referência àqueles nomes escritos por mim na caderneta. Em seguida, fiz o mesmo com os arquivos dos meus computadores, apesar de já ter feito isso uns dias antes. Não encontrei nenhum dos nomes nem nada que pudesse me conduzir a eles. Terminada a busca, eu estava exausto e confuso. Não conseguia dormir nem trabalhar. Tive uma crise em casa, perdi a consciência, e fui encontrado caído no chão. Minha vida tem sido um permanente horror, não suporto mais ser invadido dia e noite por essas imagens. Sinto que, se isso não parar, vou acabar matando a mim mesmo.

— Por que o senhor procurou um delegado de polícia e não um neurologista ou um psiquiatra?

— Sei que sou portador de uma doença e sei o que tenho de fazer para mantê-la sob controle. E não acho que se trate de um caso psiquiátrico. Não sou psicótico.

— Alguém mais ficou sabendo dessa história da mulher desmembrada?

— Não, a não ser uma amiga, quase namorada, chamada Maria Paula, também professora da universidade. Ela me ajudou a procurar o nome Fabiana nos arquivos da Faculdade de Letras.

— E encontrou?

— Encontrou uma Fabiana, aluna na época em que eu era professor, mas não há como estabelecer relação entre ela e a Fabiana da caderneta.

— Vocês tentaram entrar em contato com ela?

— Ela não foi localizada.

A conversa tomara todo o tempo reservado por Espinosa para o almoço. Quando os policiais visitantes retornaram, o delegado foi obrigado a interromper a entrevista com o professor.

— Sinto muito, professor, mas preciso suspender por alguns minutos a nossa conversa. Vou até a sala de reuniões no térreo e volto em dez minutos. Se precisar de alguma coisa, basta levantar o fone do aparelho e falar com a atendente.

Ele mesmo, Espinosa, pegou o fone e mandou a atendente localizar os inspetores Welber e Ramiro e encaminhá-los à sala de reuniões. Enquanto descia a escada para o térreo, pensou que essa pequena parada poderia ser boa para ver se o professor retomava o assunto do ponto em que haviam interrompido e se mantinha a coerência no relato que fazia.

Os novos policiais estavam na sala esperando a segunda parte da apresentação quando o delegado Espinosa entrou acompanhado dos inspetores Welber e Ramiro. Sentaram-se todos, menos o delegado.

— Surgiu uma emergência e vou precisar me ausentar por um tempo. Os inspetores Welber e Ramiro, meus auxiliares diretos e veteranos na 12ª DP, vão me substituir enquanto eu estiver ausente. Eles estão prontos para responder a qualquer pergunta que vocês fizerem. Espero retornar logo.

De volta ao seu gabinete, Espinosa encontrou o professor sentado na mesma posição em que o deixara.

— Então, professor, estávamos falando sobre...

— ... a professora Maria Paula, minha antiga colega de universidade.

— E também que procurou o nome Fabiana nas listas de alunos matriculados na sua disciplina. Encontrou o nome, mas não conseguiu localizar a pessoa.

— Isso mesmo, delegado, e essa é a questão.

— Qual questão, professor?

— Ela sumiu.

— O que é natural, passaram-se dez anos.

— Não é tanto tempo, eu moro há mais de dez anos no mesmo lugar.

— Mas o senhor já tinha quarenta anos, era um homem estabelecido, enquanto a moça devia estar na casa dos vinte, começando a vida... Pode ter se casado, mudado para outra cidade... até mesmo para outro país...

— Pode ter morrido.

— Por que o senhor diz isso?

— Porque foi o que aconteceu.

— Como o senhor sabe?

— Eu sei.

— E o que significa esse "eu sei"?

— Significa que eu tenho certeza de que ela está morta... morta e desmembrada como as imagens que me vêm à lembrança a todo instante.

— E por isso o senhor se acha responsável pelo fato dela não ser encontrada?

— Acho que, se não é uma evidência, é um forte indício.

— O senhor está insinuando que matou essa moça?

— Ah... é possível.

— Deixe-me ver se entendi bem a coisa: o senhor veio à delegacia para falar especificamente comigo e contar que matou uma mulher de nome Fabiana, embora a única prova que o senhor ofereça desse suposto crime sejam imagens fragmentárias que emergem à consciência a partir de um nome encontrado numa caderneta de dez anos atrás, nome e imagens que o senhor não sabe a quem pertencem. Se me permite, professor, creio que esse crime só existe na sua imaginação.

— Ou na minha memória.

— O senhor parece disposto a assumir um crime imaginário. Acontece que eu não posso aceitar sua confissão, assim como a Justiça não pode julgá-lo e muito menos puni-lo. Para iniciarmos uma investigação, teríamos que contar com algum indício, alguma prova material, alguma testemunha, e precisaríamos do corpo da vítima.

— A vítima se chama Fabiana, o corpo eu posso descrever, apesar de estar desmembrado... O crime deve ter acontecido em 2001... Aqui está uma cópia da página da caderneta. Pode ficar com ela.

— Lamento, professor, imagino que isso possa ser muito angustiante para o senhor, mas não creio que esse crime seja real.

— O senhor acha, então, que não há nada a fazer?

— Não do ponto de vista policial... por enquanto. Mas fique com meu cartão, tem o número do meu celular anotado. Pode me ligar qualquer dia e a qualquer hora.

A tarde estava pelo meio quando Vicente deixou a delegacia e tomou o caminho de casa. Tinha gostado do delegado. Apenas ficara decepcionado com sua declaração de que aquele não era propriamente um caso policial. "Por enquanto", acrescentara ele. E o que estava faltando para se tornar um caso policial? Um cadáver, dissera o delegado. É o cadáver que confere materialidade ao crime. E Fabiana era apenas uma fantasia, chegara a insinuar o delegado... Ou fora Paula que falara em fantasia? Provavelmente fora ela. Vicente andava pela calçada como se estivesse caminhando por uma estrada deserta, de terra batida, dessas que se bifurcam em estradas menores ainda mais desertas, que por sua vez se transformam em caminhos. Então era um cadáver o que estava faltando. Sem cadáver não há crime. Um corpo atirado num alto-forno dissolve-se por completo, é transformado em fumaça. Isso elimina o crime? O fogo intenso, ao eliminar o corpo, elimina o crime e consequentemente o criminoso?

Tinha ultrapassado o seu prédio e andado por ruas que apenas o afastavam dele. Retornou depois de algum tempo e entrou em casa exausto e com uma conclusão: para sua queixa ser levada a sério pela polícia, para sair do campo da fantasia e entrar no campo da materialidade, teria que encontrar o corpo. De preferência, o mesmo que lhe ocupava dia e noite a memória. Essa era a exigência legal.

Não tinha almoçado. As imagens continuavam a aparecer sem que se alterasse de forma notável seu padrão de repetição e seu conteúdo. O rosto da mulher permanecia velado.

Comeu o sanduíche acompanhado de um copo de leite, e retomou o trabalho que fora interrompido pela ida à delegacia. Anoiteceu sem que ele percebesse e sem que perdesse o ritmo da tradução.

Esse era outro problema que o vinha preocupando. Continuava trabalhando nas traduções o mesmo número de horas por dia, mas o número de páginas traduzidas diminuíra. E não havia dúvida de que o motivo era a maior lentidão com que as palavras e a construção das frases lhe ocorriam em português, estivesse ele traduzindo do inglês ou do francês. O texto original lhe era dado diretamente, seu correspondente em português é que dependia não apenas do pensamento dele como também da sua memória. E era esta que estava sendo invadida pelas imagens do corpo desmembrado.

Paula não dava notícias havia mais de duas semanas, e ele não lembrava sobre o que tinham conversado da última vez em que se viram... ou se falaram por telefone... ou nem uma coisa nem outra. Buscou nos blocos alguma anotação, mas, mesmo consultando o que escrevera, não atinava com o motivo do silêncio e da ausência da amiga. Claro que ficaram muitos anos sem se falar, não dava para de uma hora para outra recuperar a intimidade do tempo em que eram colegas. Talvez essa intimidade pudesse ser recuperada aos poucos, e isso dependeria exclusivamente dela.

Retomara a tradução às sete da manhã e desde então estivera à espera do telefonema de Paula. Era quase meio-dia, hora em que ela costumava ligar... Tinha a vaga e incômoda impressão de que isso não aconteceria mais... Talvez por ela não ter gostado do modo como ele falara da última vez, ou porque ele é que não gostara do jeito como ela falara. De uma forma ou de outra, o fato era que tinha havido um mal-estar. Esperou dar duas horas para ir à rua e almoçar. Comia não por prazer, mas por necessidade. Uma refeição preparada por um mestre gourmet ou o frango assado que fica girando na máquina não fazia grande diferença para ele. Sentia que precisava se alimentar para se manter saudável e poder trabalhar, mas comer não era uma atividade capaz de causar prazer genuíno. Decidiu descer à rua porque não tinha mais pão de fôrma para o seu costumeiro sanduíche de queijo e presunto. Àquela hora o movimento nos bares e restaurantes havia diminuído. Repetiu o frango assado do restaurante em frente e, como fazia sempre, mandou colocar numa quentinha o que sobrara. Ele mesmo se dava conta de que seus hábitos alimentares deviam ser de uma monotonia constrangedora se vistos por olhares estrangeiros.

De volta do almoço, retomou o trabalho decidido a, mais para o final da tarde, ligar para o número que Paula deixara anotado e que ele repassara ao delegado Espinosa. Durante toda a tarde, a imagem de Paula se misturou à imagem do corpo que ele, através da descrição de Paula, passara a acreditar ser realmente o de Fabiana. O trabalho de tradução feito durante essa espera teria de ser revisto cuidadosamente, uma vez que, ao se levantar para pegar o papel onde fora anotado o número do telefone de Paula, não se lembrava sequer do título do conto de Poe que estava traduzindo.

De posse do número, ligou para ela. A pessoa que atendeu, e que pela voz devia ser idosa, não entendia com quem ele queria falar.

— Desejo falar com Maria Paula — repetiu ele.

— Não mora ninguém aqui com esse nome.

— Professora Maria Paula — reforçou Vicente.

— Não mora aqui, não, senhor.

— A senhora conhece alguém com esse nome que tenha morado aí? Talvez tenha se mudado recentemente.

— Não, senhor. Moro aqui há mais de trinta anos e não conheço nenhuma professora Paula.

Vicente ficou olhando para a folha com a anotação, pensando que poderia ter anotado errado, até se dar conta de que não fora ele a anotar, mas a própria Maria Paula quando terminaram de almoçar no restaurante da universidade. Ou fora ele mesmo que anotara o número dela e o dele? O papel era um guardanapo do restaurante. Restava o telefone da Faculdade de Letras que ele próprio anotara na sua caderneta de telefones. Mas era sexta-feira e passava das seis. Teria que esperar até segunda.

A tarde de sexta-feira era sempre agradável para o delegado Espinosa, mesmo quando a semana fora marcada por casos trabalhosos. O motivo desse estado de espírito era o encontro com Irene à noite, quando jantavam num restaurante simpático, geralmente em Ipanema, bairro onde Irene morava, e depois do jantar iam para o apartamento dele no Bairro Peixoto ou para o dela em Ipanema, e só se separavam na manhã de segunda-feira, quando voltavam aos seus respectivos trabalhos. A diferença dessa sexta-feira era que Irene estava em Nova York fazendo um curso de especialização sobre arte contemporânea na Universidade Columbia, cuja duração era de dois meses. E apenas um mês se passara. A solução, que não solucionava nada, era passar no árabe ou no alemão, comprar quibes, esfirras, frios, pães diversos e uma boa garrafa de vinho, e selecionar o mais promissor dentre os livros empilhados à espera da sua leitura. A saudade do corpo de Irene teria que esperar ainda mais um mês.

Vicente acordou no dia seguinte dando continuidade ao pensamento de antes de dormir na véspera. Desde o último telefonema de Paula até a entrevista com o delegado Espinosa haviam se passado quinze dias. Dessas duas semanas, uma desaparecera de sua memória. Do tempo anterior a elas, lembrava-se dos telefonemas de Paula, sobretudo do último, que o desagradara de modo particular, e de mais nada. Com muito esforço, lembrou-se de forma vaga de alguns episódios ocorridos dentro de casa, quase todos ligados ao trabalho de tradução, sendo um deles relativo ao computador, que apresentara um defeito do qual não se lembrava, mas também não se lembrava de ter chamado o técnico, e tampouco se lembrava de como o aparelho voltara a funcionar... ou se de fato tinha havido algum defeito. Mesmo essas lembranças eram fragmentárias e nebulosas, não formavam uma lembrança ou um acontecimento unitário, mas fiapos de lembranças. Melhor seria chamá--las deslembranças. Consultou as anotações que fazia nos blocos espalhados pelo apartamento, mas em nenhum deles havia referência a esse suposto episódio, e precisava encontrar Paula. Ela era o único caminho que poderia levá-lo a Fabiana. Mas teria que esperar até segunda-feira. A não ser que procurasse diretamente Fabiana, e para isso teria que voltar ao ano de 2001. Mas não queria retornar ao ano de 2001 pelo mesmo caminho percorrido: cadernetas, diários e anotações. Tampouco queria apelar para o testemunho de terceiros. Se o que o estava atormentando era fruto do seu imaginário, era o caminho do imaginário que ele teria que percorrer.

Mas o que pretendia?, perguntou a si mesmo. Encontrar uma mulher real ou uma mulher imaginária? A mulher imaginária ele já tinha encontrado, era ela que o estava atormentando. Se queria recorrer à ficção, havia inúmeras novelas policiais com histórias de esquartejamentos ou de *serial killers* ou das duas coisas juntas. Mas a imagem de uma mulher com os membros separados como um manequim desmontado não passava de uma fantasia de desmembramento que não levava ninguém à prisão... muito menos ele próprio, que fora à delegacia confessar seu suposto crime ao delegado Espinosa e este gentilmente o aconselhara a voltar para casa e se entregar ao seu trabalho de tradução.

Passava das dez da noite quando Vicente se aproximou da janela, o que não fizera desde que acordara às sete da manhã. Chovia, e ele pensou que, com a chuva caindo durante muito tempo, a terra ficaria macia para cavar. Pensamento sem sentido para quem nunca havia plantado uma única muda de árvore sequer, mas não para quem estava preocupado com a melhor maneira de enterrar um cadáver. Não que ele tivesse um corpo para enterrar, ele tinha apenas uma ideia de corpo. Era essa ideia que ele precisava enterrar. Sem dúvida, seria bem mais fácil cavar um terreno molhado e macio do que um terreno seco e duro. Melhor também seria cavar à noite. Um mínimo de luz bastaria para abrir uma cova, e ao mesmo tempo o protegeria de olhares curiosos. O ideal seria uma praia deserta, a areia é ainda mais macia que a terra molhada. Com uma pá, ele seria capaz de cavar na areia uma cova funda o bastante para não atrair animais em busca de carniça. O problema maior seria o transporte do corpo até o local apropriado. Mas, na verdade, estava invertendo o processo: primeiro, teria de cavar o buraco, em seguida arranjar o corpo. Afinal, ainda não havia corpo nenhum para ser enterrado. Visto dessa ótica, o problema se simplificava. Além do mais, ele não precisava de um carro para transportar o cadáver até uma praia deserta. Tinha a seu dispor uma praia a apenas duas quadras de onde morava: a praia de Copacabana. Mas como enterrar um cadáver numa das praias mais movimentadas do mundo? Pensou em como faziam os vendedores ambulantes para esconder durante a noite a mercadoria ilegal que vendiam durante o dia. Primeiro eles cavavam um buraco de bom tamanho junto ao paredão, de modo que o buraco entrasse por baixo da calçada formando uma pequena caverna subterrânea, logo após enfiavam nele uma grande caixa de isopor e enchiam-na de bebidas e comestíveis. Depois era só tampar a caixa e cobrir a entrada com areia. No caso dele, bastaria substituir o isopor ou mesmo as bebidas e os comestíveis pelo cadáver. O volume total do espaço a ser ocupado era aproximadamente o mesmo. E como cavar o buraco sem ser visto? Da mesma maneira como faziam os ambulantes: cavaria durante a noite, protegido pelo paredão. Supondo-se agora um cadáver real, como levá-lo até a praia? Levando-o para passear no calçadão sentado numa cadeira de rodas, por exemplo. Na hora do enterro, era só parar a cadeira na calçada bem em cima do buraco cavado previamente e despejar o corpo na areia. Isso, é claro, teria que ser feito durante alta madrugada, quando o movimento na calçada era quase nulo. Depois era só empurrar o corpo para dentro do buraco e tapar com bastante areia. Finalmente, abandonaria a cadeira numa praça com mendigos e sem-teto que se encarregariam de achar um destino para ela.

Afastou-se da vidraça, a chuva continuava a cair. Tinha certeza de ter acabado de enterrar a mulher desmembrada das suas imagens mnêmicas. Mas haviam se passado apenas uns poucos minutos, e a mulher continuava ali, próxima, presente, íntima sem se deixar reconhecer. Mais fácil enterrar um cadáver real do que uma ideia de cadáver, pensou.

O domingo não foi em nada diferente do sábado. O trabalho de tradução continuava prejudicado, e apenas a expectativa da segunda-feira e a possibilidade de conseguir falar com Paula tornavam o dia minimamente suportável. Na manhã seguinte, esperou a hora do início do expediente na faculdade e deu o primeiro telefonema. Os funcionários ainda estavam chegando. Teria que esperar a chegada da secretária, a única pessoa que poderia fornecer as informações solicitadas por ele.

— Não estou querendo informações sobre a professora, quero apenas saber se ela está no departamento.

— Então, senhor, isso é uma informação sobre o funcionário, somente a chefe da secretaria está autorizada a fornecer.

Traduziu mais algumas páginas e voltou a ligar. A secretária atendeu o telefone e informou que a professora Maria Paula estava ausente da faculdade havia uma semana e que não podia dizer quando ela estaria de volta. Também não estava autorizada pela professora a fornecer seu telefone ou endereço. Vicente tentou mais uma vez no final da tarde, mas a resposta foi a mesma.

O restante do dia foi tomado pelo tédio. Ele dormiu sem saber a razão daquele vazio cinza que surgira do nada e que abarcava até mesmo Fabiana. O primeiro estado de consciência na manhã seguinte foi o da ausência das imagens da mulher desmembrada. Nem quando ele se deu conta disso as imagens apareceram. Lembrou-se claramente delas, mas foi uma lembrança voluntária, uma recordação do que acontecera, e não o surgimento compulsivo e doentio das últimas semanas. Estou curado, pensou, e voltou a dormir.

Acordou horas depois. Pelo menos essa foi a impressão que teve assim que abriu os olhos e estendeu o braço à procura do despertador. O visor marcava três e cinquenta, e, pela luminosidade que entrava através das frestas da persiana, inferiu que seriam três e cinquenta da tarde. O corpo estava relaxado, mas dolorido, a cabeça não doía como nos últimos tempos, e não havia nenhuma imagem de corpo desmembrado. Esperou um pouco, ainda sentado na beira da cama, pensando se não seria uma trégua passageira, como acontece às vezes no meio de uma batalha; mas nada aconteceu, não sobreveio nenhuma imagem, nenhum mal-estar súbito. Levantou-se e tomou um banho demorado, como havia muito não tomava. Terminado o banho, vestiu uma roupa limpa e desceu para a primeira refeição do dia. Para comemorar as boas-novas, foi a um restaurante italiano, desses com toalha quadriculada na mesa, talheres corretos e garçons simpáticos, e não tão barato quanto o que costumava frequentar. Mas valia a despesa extra, tratava-se de uma comemoração. Era evidente que aquelas visões interiores não podiam continuar indefinidamente, não eram propriamente lembranças, tampouco alucinações, só podiam ser fruto da imaginação... sugerindo uma ideia que, de tanto insistir, acabou perdendo a força.

Apesar de estar sem comer desde o dia anterior, fez sua refeição com calma, aproveitando a tranquilidade do restaurante, quase vazio àquela hora. De volta ao prédio, encontrou o síndico na portaria.

— Professor, que bom ver o senhor recuperado e com o aspecto tão saudável, nós tomamos um susto.

— Obrigado. Agradeço mais uma vez a intervenção e o rápido socorro prestado pelo senhor.

— Não agradeça a mim, mas ao Francisco, foi ele quem suspeitou de algo errado quando viu os jornais se acumularem na sua porta e o senhor não responder ao interfone.

— Mas foi o senhor quem chamou o socorro médico.

— Graças ao seu expediente de deixar na portaria o número do telefone do seu seguro hospitalar. E, por falar em seguro hospitalar, quero aproveitar esse nosso encontro para avisar que vou enviar uma circular aos moradores que têm alguma coisa no depósito do terraço, porque vamos precisar esvaziar o quarto por uns tempos para consertar um vazamento que ameaça danificar os objetos guardados.

Vicente esperou o síndico continuar, mas não houve continuação.

— Felizmente eu não tenho nada guardado no terraço. Para falar a verdade, eu nem sabia da existência de um quarto de guardados no terraço — disse Vicente.

— Ah, é que faz tanto tempo que o senhor deve ter esquecido.

— Não. Tudo o que tenho está no meu apartamento. Não tenho nada nem na garagem do prédio nem no terraço.

— E a cadeira de rodas?

— Cadeira de rodas? Eu não uso nem tenho cadeira de rodas.

— Segundo o porteiro, ela está lá faz muito tempo. Eu fui ver. Está dobrada e encostada na parede com umas malas na frente, daí não ficar visível... e, com o passar do tempo, o senhor deve ter esquecido dela. Mas não há dúvida, cada objeto guardado leva uma etiqueta para identificar o dono, e lá está a etiqueta colada na cadeira: "Vicente Fernandes — Apto. 1001".

— Uma cadeira de rodas...

— E está perfeita, apenas os pneus estão vazios — acrescentou o síndico. — Se o senhor não tiver lugar para acomodá-la no seu apartamento, podemos colocá-la junto com as bicicletas na garagem.

— Obrigado... Preciso subir...

— O senhor está bem, professor?... Quer que eu o acompanhe até o seu apartamento?

— Estou bem. Obrigado.

Enquanto o elevador subia, Vicente pensava no que fazer. Não se lembrava de cadeira nenhuma, como tampouco se lembrava de alguém ter ido ao apartamento numa cadeira de rodas... E agora essa coincidência de ter imaginado uma cadeira de rodas para transportar o corpo morto e o síndico falar na cadeira guardada no terraço. Isso, depois de ele ter contado ao delegado Espinosa a história da mulher desmembrada. Claro que aquela cadeira era a prova material de que a ocultação do cadáver imaginada por ele não fora imaginada mas recordada. Uma recordação que não se dava conta de ser recordação mas que se julgava pura invenção. Só que ninguém sabia de nenhuma das duas coisas: nem da suposta invenção nem da recordação. E era de fundamental importância que assim permanecesse. O primeiro passo nesse sentido seria retirar a cadeira do terraço e dar sumiço nela... Ou melhor, retirar da cadeira a etiqueta com seu nome e número do apartamento para posteriormente retirar a cadeira e levá-la para o apartamento até encontrar um lugar para abandoná-la... Talvez o metrô... ou uma igreja... A subida e a descida do velho elevador eram acompanhadas de um ruído semelhante ao de uma corrente sendo arrastada no interior de um túnel, ruído esse que era ouvido dentro do apartamento — não apenas do dele, mas também dos outros apartamentos, mais próximos do poço do elevador, era o que ele supunha — e que servia de aviso da chegada de alguém ao andar antes mesmo de alguma campainha ser tocada.

O elevador chegou ao décimo andar.

Antes de ele entrar no seu apartamento, foi até a escada que levava ao terraço onde havia uma porta que ficava sempre fechada mas que ele não sabia se também trancada à chave. Subiu os dois lances de escada e experimentou a maçaneta. Não estava trancada. Não quis olhar o terraço, tampouco o quarto de guardados. Fechou rapidamente a porta e desceu para o apartamento.

Ainda havia um pouco de luz do dia. Pensou em voltar ao terraço e pegar a cadeira. O síndico mesmo dissera que precisava esvaziar o quarto para dar início a obras. Portanto, não estaria fazendo nada de errado. Estava escrito na etiqueta que a cadeira pertencia a ele. Abriu ligeiramente a porta do apartamento e perscrutou o corredor. Ninguém. Verificou se estava com a chave. Caminhou pelo corredor como se estivesse se dirigindo ao elevador, coisa que faria caso aparecesse alguém. Passou pelos dois elevadores, retomou a escada pela qual tinha subido minutos antes e, ao abrir a porta que dava acesso ao terraço, foi surpreendido pelo espaço amplo sem paredes e sem teto, a céu aberto, com o vento que vinha do mar desmanchando seu cabelo e agitando sua roupa. Não havia iluminação e a luminosidade da tarde já estava cedendo lugar à noite. Nunca estivera naquele lugar. Além da casa de máquinas dos elevadores, havia uma construção quadrada com uma porta e sem janelas que ele adivinhou ser o quarto de guardados. Meteu a mão na maçaneta da porta, mas estava trancada à chave. Claro, um quarto de guardados não pode ficar destrancado, à disposição de quem quiser entrar. Voltou para o apartamento.

A história da cadeira de rodas — e insistiu na palavra "história", porque para ele era de fato uma história, não se lembrava absolutamente de alguma vez na vida ter usado uma cadeira de rodas ou ter adquirido uma para uso de alguma outra pessoa — o perturbara bastante, não da mesma forma como o perturbaram as imagens do corpo desmembrado, mas quebrara o bem-estar readquirido e que não chegara a durar até o final do dia.

Estava havia alguns minutos sentado ao computador olhando as letras se embaralharem na tela quando o telefone tocou. Imaginou que fosse o síndico para saber se estava tudo bem com ele, mas era Paula se desculpando pelo sumiço, fora chamada para participar de uma banca de concurso para professor na Universidade Federal do Rio Grande do Sul... Tudo em cima da hora... Enfim, não avisara porque não sabia quando voltaria. Telefonava para saber como ele estava passando.

— Estou bem. As imagens desapareceram. Estou me sentindo aliviado. Pelo menos quanto a isso.

— Por quê, "pelo menos quanto a isso"? Surgiu alguma coisa mais?

— Ainda não surgiu, mas já foi falada.

— Alguma coisa a ver com as traduções?

— Não. Elas vão bem... apesar de lentas.

— Então o que foi que surgiu? — perguntou Paula.

— Uma cadeira de rodas — disse Vicente, baixinho.

— Uma o quê?

— Cadeira de rodas.

— Você está usando cadeira de rodas? Que aconteceu?

— Estou bem. Não aconteceu nada. Não estou usando cadeira de rodas.

Vicente fez um resumo da já breve história da cadeira de rodas. História que seria desimportante, não fosse a estranha e surpreendente coincidência com a história imaginada por ele, dias antes, para ocultar um cadáver.

— Vicente, essa história da cadeira está um tanto confusa, que tal você me explicar isso pessoalmente? Amanhã é quinta-feira, dia do meu seminário na Escola de Comunicação. Que tal almoçarmos juntos novamente?

— Está bem — disse Vicente.

— Mesmo lugar, mesma hora. Caso você não lembre, meio-dia no teatro de arena.

Vicente atendera o telefone sem precisar se levantar, tinha o aparelho ao alcance da mão. A tela do computador à sua frente continuava exibindo o texto de Poe traduzido do livro original apoiado num suporte ao lado. Ele continuava olhando fixamente a tela, mas o olhar não estava focado no texto, como tampouco as ideias estavam focadas no original em inglês, mas divididas entre a notícia do síndico sobre a cadeira de rodas e o telefonema de Paula que acabara de anotar no bloco. Dois enigmas. O primeiro, a própria cadeira; o segundo, o que pretendia Paula com aquele telefonema à noite, coisa que ela nunca havia feito, marcando um almoço para o dia seguinte?

3.

Vicente chegou antes da hora marcada. Como raramente se deslocava além do perímetro de duas ou três quadras em torno do seu prédio, e sempre a pé, não tinha noção do tempo que levava para chegar a lugares mais distantes usando ônibus. Não gostava de metrô. Debaixo da terra, não tinha como se orientar, não sabia onde estava nem em qual direção seguia. Táxi, só para emergências. Restavam os ônibus, cujo inconveniente maior era o fato de serem todos iguais e ele não conseguir memorizar o número de cada linha.

Quando se aproximou do teatro de arena, foi surpreendido pela figura de Paula sentada num dos degraus de pedra. Não estava carregando a pasta enorme nem parecia apressada como da outra vez.

— Minha última orientanda da manhã faltou. Deixei minha pasta, meu casaco e uma Coca-Cola com dois copos marcando uma mesa na lanchonete.

Por iniciativa de Paula, foram caminhando de braço dado do teatro de arena até a lanchonete. Assim que sentaram, ela retirou da pasta um embrulho e deu para ele.

— Lembrança de Porto Alegre.

Vicente abriu o embrulho cúbico e tirou de uma caixa de papelão uma caneca com as iniciais Margs em letras brancas contra um fundo preto. Olhou para Paula, visivelmente satisfeito e com um olhar interrogativo.

— Está úmida.

— Eu lavei hoje de manhã, antes de sair de casa.

— O que significam essas letras?

— Margs, Museu de Arte do Rio Grande do Sul. É para você deixar com água ao lado do computador enquanto trabalha.

— O único presente que ganhei nesta última década. É muito bonito — disse Vicente com a voz contida.

— Agora me conta: que história é essa de cadeira de rodas?

Vicente repetiu com mais detalhes a conversa que tivera com o síndico do prédio e a visita frustrada que fizera ao terraço.

— O que você pretendia indo ao terraço? Se a cadeira é sua, isto é, se ela traz seu nome numa etiqueta colada nela, e se o síndico disse que precisava que os moradores retirassem os pertences guardados no quarto, bastava você pedir ao porteiro para retirar a cadeira.

— Paula, você não entendeu, eu não estou nem um pouco interessado na cadeira de rodas. Ela não é minha. Alguém preencheu aquela etiqueta erradamente.

— Então, qual é o problema? Mande a cadeira para um abrigo de idosos. Será um belo presente para algum deles.

Vicente ficou olhando com espanto para Paula pelo fato de ela não ter acesso aos seus pensamentos e não saber da outra história da cadeira.

— Paula — disse ele mansamente —, dias antes do síndico ou de qualquer outra pessoa me falar na cadeira, eu imaginei uma história na qual eu precisava ocultar o cadáver de uma mulher, morta por mim; o expediente que criei foi o de transportar a mulher numa cadeira de rodas desde o meu apartamento, onde eu a tinha envenenado, até a praia de Copacabana, a duas quadras do meu prédio, tarde da noite, como se ela estivesse dormindo, para enterrar o corpo num buraco de areia sob o calçadão, como os vendedores ambulantes fazem para esconder suas mercadorias guardadas em caixas de isopor.

— E?

— E essa foi a história da cadeira, que na minha imaginação estava guardada no meu apartamento — respondeu Vicente.

— Então a cadeira de rodas é sua.

— Sim. E eu matei a mulher e enterrei o corpo na praia de Copacabana.

Ficaram olhando um para o outro em silêncio durante um longo tempo. Paula quebrou o silêncio:

— Então a cadeira não é sua, mas de alguém que fez algo semelhante ao que você imaginou e que resolveu botar a culpa em você. Alguém, algum dia, saiu do seu prédio à noite carregando um corpo numa cadeira de rodas e voltou só com a cadeira. Sabendo da existência do quarto de guardados no terraço do prédio, escreveu seu nome e o número do seu apartamento numa etiqueta e colou na cadeira, em seguida enfiou a cadeira fechada entre as muitas malas e objetos e voltou para casa.

— Isso só se sustenta enquanto brincadeira de imaginar histórias — disse Vicente.

— Não se o suposto matador te conhecesse, soubesse que você tem perdas de consciência seguidas de amnésia; que leva uma vida reclusa; que seria o morador ideal para manter durante anos uma cadeira de rodas guardada no terraço e se esquecer disso.

— Mas isso não aconteceu!

— Claro que não. Assim como você não envenenou nenhuma mulher.

— Então...

— Então podemos supor, como exercício de imaginação, que uma mulher teve morte suspeita embora acidental... vítima de drogas, por exemplo... e a pessoa ou as pessoas que estavam com ela tiveram que dar sumiço no corpo; e que isso aconteceu num apartamento vizinho ao seu... talvez no mesmo andar, cujo morador te conhecia...

— Paula, isso que você está fazendo é ficção, e essa cadeira de rodas é real.

— Quem disse?

— O síndico do meu prédio.

— Então, por que não vamos ao seu prédio e pedimos ao porteiro para retirar a cadeira do depósito?

E antes que Vicente tivesse tempo de responder:

— Depois de almoçarmos, é claro — disse Paula.

Ela contou da ida a Porto Alegre e da sua participação na banca do concurso para professor da universidade.

— Não foi só o concurso; teve também passeios, almoços, jantares e reuniões interessantes. Eu estava mesmo precisando sair um pouco. Foi ótimo.

Vicente olhava com satisfação para essa Paula de bem com a vida e bem mais leve que a Paula do encontro apressado naquela mesma lanchonete um mês antes.

— Mas fale de você. Como foram esses dias enquanto estive fora?

— Foram bons somente os últimos dois dias, quando cessaram as imagens da mulher desmembrada, aquilo estava me enlouquecendo. Mas a alegria durou pouco...

— Por quê? Por causa da cadeira de rodas? Você vai ver como isso foi um engano do síndico ou de quem colocou a etiqueta nela. Hoje eu não preciso voltar à faculdade. Vamos pôr um ponto final nessa história da cadeira de rodas.

O carro de Paula estava no estacionamento da universidade, no próprio campus, de modo que foram caminhando de braço dado, à sombra de árvores centenárias. Vicente estava desabituado a andar de carro, principalmente no lugar do carona, e teve que contar com a ajuda de Paula para afivelar o cinto de segurança; também para desafivelá-lo, quando ela estacionou na garagem do prédio. Aproveitaram a presença do porteiro e pediram a ele que retirasse a cadeira de rodas do depósito.

— Não posso subir com vocês porque estou sozinho na portaria, mas posso emprestar a chave do depósito. Se a cadeira estiver muito empoeirada, é só avisar que eu faço uma limpeza nela.

Os dois o acompanharam até a portaria, onde ele retirou de um quadro de chaves a chave do quarto de guardados.

— Depois o senhor tranca a porta novamente e me devolve a chave.

Paula havia deixado a pasta e o casaco no carro. Subiram até o décimo andar de elevador, e mais os dois lances de escada até o terraço, sem se falarem. A porta do terraço estava fechada mas não trancada. Tornaram a fechá-la, assim que passaram, e se viram sozinhos no terraço vazio. Não tinham interesse em mais nada além do quarto de guardados situado junto à parede-cega que separava o prédio do vizinho dois andares mais alto. Atravessaram o terraço e experimentaram a maçaneta antes de fazerem uso da chave. Acenderam as luzes e o quarto se iluminou por igual. Era amplo e estava quase completamente tomado por malas, baús, caixas com etiquetas contendo o nome dos proprietários, objetos variados e, entre eles, uma cadeira de rodas fechada e encostada a uma das paredes. Não havia outra. Vicente puxou-a para fora do quarto e verificaram a etiqueta colada do lado externo do encosto, na qual estava escrito à caneta: "Vicente Fernandes — Apto. 1001".

A cadeira estava, de fato, bastante empoeirada e os pneus haviam sido esvaziados. Mesmo assim, Vicente a abriu e colocou de pé.

Ficaram ambos, em silêncio respeitoso, olhando a cadeira à espera de uma lembrança repentina ou de uma revelação súbita vinda sabe-se lá de onde. Não houve nem lembrança nem revelação. Pareciam duas crianças sem saber o que fazer com o brinquedo quebrado, mas misterioso e ameaçador, que haviam furtado do quarto de guardados do prédio, apesar de o nome de um deles estar colado ao brinquedo, atestando a legitimidade da posse. Depois de aberta a cadeira, nenhum dos dois tocou mais nela. A alegria de Paula cedeu lugar a um silêncio respeitoso ao passado daquele objeto que lembrava invalidez física, acidente cerebral, deficiência de todo tipo.

Paula esperava que Vicente desse alguma explicação para o

achado. Enquanto Vicente olhava para ela, esperando que dissesse alguma coisa da qual ele não tivesse lembrança, capaz de esclarecer a presença daquele objeto.

— Vicente, essa cadeira não é sua... a menos que você tenha sofrido algum acidente e precisou usar cadeira de rodas durante algum tempo...

Vicente apenas fez que não com a cabeça.

— ... ou comprou essa cadeira para o uso de algum parente idoso...

Ele continuou acenando negativamente a cabeça.

— Então, realmente a pessoa que etiquetou os objetos cometeu um engano ao preencher a etiqueta da cadeira.

— E se enganou no nome, sobrenome e número do apartamento? — perguntou Vicente com um acento cético na voz.

— Ela errou de pessoa. O dono da cadeira era ou é outra pessoa. Talvez o antigo morador do seu apartamento... talvez um vizinho de andar...

— Talvez eu mesmo — disse Vicente.

Ele trancou a porta do quarto e desceram os dois, deixando a cadeira do lado de fora.

— Quer que eu lhe faça um pouco de companhia? — indagou Paula.

— Obrigado, prefiro ficar sozinho agora e ter sua companhia num outro momento, mais alegre. Vou te acompanhar até a garagem, para você sair com o carro, e vou aceitar o oferecimento do porteiro para limpar a cadeira. Afinal, tudo indica que ela pertence a mim e a mais ninguém. E, se ela pertence a mim, foi adquirida num momento de tal modo traumático que foi eliminado completamente da minha memória, sem deixar nenhum resíduo e nenhuma marca corporal... a não ser que minhas crises sejam essa marca.

No elevador, Paula tentou tranquilizar Vicente, mas percebeu que precisaria de muito mais tempo do que os dez andares da descida. Despediu-se prometendo ligar mais tarde para saber do estado dele.

No final da tarde, o porteiro avisou pelo interfone que a cadeira estava limpa e que ele tinha enchido os pneus, "está pronta para ser usada". Minutos depois, a campainha tocou. Vicente abriu a porta e viu-se diante da cadeira de rodas aberta. Deu uma gratificação ao porteiro e empurrou a cadeira para a sala. Não sabia onde colocá-la. Não se tratava de um móvel como os demais, e tampouco podia ser usada dentro de casa na sua função essencial e única. Fechou-a e a encostou na parede, próximo à porta de entrada, em seguida sentou-se na sua cadeira de trabalho, girou-a para a porta e se pôs a olhar para a cadeira de rodas. Passados alguns minutos, levantou-se, deu meia dúzia de passos, abriu-a, sentou-se cautelosamente, destravou o freio e ficou movendo-a para a frente e para trás no espaço correspondente à largura da sala. Parou quando o braço começou a doer. O contato com o couro do assento e do encosto, os apoios para os pés, a roda menor de aço para impelir a roda com pneu, nada disso lhe era familiar ou o fazia lembrar experiências passadas. Não como cadeirante, ele mesmo... talvez como condutor de cadeirante.

Depois de ter experimentado e observado detalhadamente a cadeira, Vicente chegara à conclusão de que ela fora pouco usada. Não havia deformações no couro causadas pelo uso continuado, como tampouco havia manchas ou arranhões no assento ou no encosto. Apesar do tempo que supostamente ficara guardada, ela se achava em perfeito estado. Uma conclusão plausível resultante do exame era a de que o usuário, doente ou acidentado, teria se curado rapidamente... ou morrido rapidamente. Restava apenas descobrir quem tinha sido o usuário, já que não havia a menor lembrança de que alguma vez ele próprio tivesse feito uso daquela cadeira. A outra possibilidade era a de ele tê-la utilizado para conduzir outra pessoa. Mas também quanto a isso não havia nenhuma lembrança, o que havia era a história elaborada por ele poucos dias antes, da condução do corpo de uma mulher morta para ser enterrada durante a madrugada na praia de Copacabana... Mas nesse caso não seria lembrança, e sim imaginação... Talvez devesse ter consultado um psiquiatra ou um psicanalista em vez de procurar um delegado de polícia.

A noite de sexta-feira não tinha nenhum significado especial para Vicente. Ele não tinha amigos nem amigas, não ia ao cinema nem ao teatro, qualquer tipo de festa lhe provocava aversão, e não tinha namorada, fixa ou ocasional, para um programa amoroso. Não via televisão nem alugava filmes, restava-lhe ler ou trabalhar. Como não recebera livros novos da editora e fazia tempo que não comprava nenhum, continuaria trabalhando na tradução dos contos de Poe.

As imagens da mulher desmembrada tinham voltado a aparecer, mas a intervalos longos e acompanhadas de carga emocional reduzida. Apesar da história da cadeira de rodas, seu cotidiano estava retomando o ritmo de sempre. O que o ameaçava era o inesperado, o novo, viesse de onde fosse e independente de o seu conteúdo ser bom ou ruim. Bastava ser novidade para ser vivido como ruim. Mas as coisas estavam voltando ao normal, até mesmo a notícia da cadeira de rodas ele conseguira absorver quase com naturalidade. Por volta das dez horas, tomou café com leite acompanhado de sanduíche e continuou traduzindo até perto da meia-noite, quando foi se deitar.

Estava quase dormindo quando o telefone tocou. Hesitou entre o telefone, que também estava sobre a mesa de cabeceira, e o despertador, mas pegou o telefone. Ao atender, já despertara inteiramente. No entanto, não houve nenhuma resposta. Nenhum ruído. Nem mesmo uma respiração do outro lado da linha. Insistiu com mais alguns alôs, mas o silêncio era completo e lhe pareceu definitivo. Sentado na beirada da cama, esperou mais alguns segundos, depois desligou o aparelho e tornou a deitar-se. Ao silêncio absoluto juntou-se a ideia da escuridão plena, do esquecimento e da morte. Não conseguiu dormir antes de duas da madrugada.

Acordou na manhã seguinte com a estranha sensação de não ser ele mesmo. Levantou-se e foi ao banheiro urinar, tomando o cuidado de, ao passar defronte ao espelho, não olhar. Claro que não temia ter se transformado numa grande barata, mas temia não reconhecer a imagem refletida no espelho. Porém, ao se voltar para lavar o rosto e escovar os dentes... lá estava o seu rosto, um tanto estremunhado, descabelado, marcado pela noite maldormida, mas era o seu rosto. Enquanto tomava o café da manhã, pensava no telefonema da véspera. Poucas pessoas tinham o número dele e raramente lhe telefonavam, e nenhuma delas telefonaria à meia-noite. Certamente, fora engano, mais um elemento a acrescentar ao conjunto dos últimos eventos perturbadores. A imagem da mulher desnuda e desmembrada já adquirira o caráter próximo e íntimo dos fatos rotineiros; o encontro com o delegado Espinosa parecia longínquo no tempo; o episódio da cadeira de rodas, embora muito recente, estava encontrando seu lugar lógico em tempos pretéritos; Paula recobrara a intimidade perdida; e o telefonema à meia-noite... fora engano. Era um modo de arrumar a casa.

Apesar do sentimento de estranheza ao acordar, conseguiu retomar a tradução. Trabalhou durante a manhã e a tarde de sábado, fazendo uma pequena pausa para o almoço, sem sair de casa, e parando apenas ao anoitecer. Estava tomando banho quando ouviu o telefone tocar. Como tinha deixado a secretária ligada, não se preocupou em sair molhado para atender. Terminado o banho, constatou que a secretária gravara a ligação, mas não havia nenhum recado, apenas um longo e absoluto silêncio. O estilo era semelhante ao da véspera, isto é, não havia estilo nenhum, apenas o silêncio, o que havia de diferente era a hora, sem o mistério da meia-noite. O número de origem da chamada não estava registrado.

Na manhã seguinte, acordou com um telefonema. Atendeu rápido, antes que a secretária começasse a funcionar.

— Vicente... é Paula. Te acordei?

— Paula... bom dia... Que horas são?

— Nove horas... Você disse que acordava cedo... Desculpe!

— Não tem problema, eu realmente acordo bem mais cedo.

— Hoje é domingo. Que tal almoçarmos juntos? Posso passar de carro e te pegar. Você topa? O dia está lindo.

— Sim, claro.

— Ótimo. Meio-dia está bom para você?

— Está... Te espero na portaria.

— Combinado.

A cabeça girava a mil por hora. Tinha anotado no bloco ao lado da cama: "Paula... meio-dia... portaria". O resto estava nebuloso. Não entendia nem o motivo nem o objetivo do convite. Sentia que Paula estava mais próxima a cada dia, e essa aproximação não o desagradava, mas o assustava. Não atinava com o propósito do encontro sugerido por ela, tampouco imaginava que pudesse ser algo do tipo encontro romântico numa bela tarde de domingo no Rio. Nem ela nem ele faziam o tipo romântico, e menos ainda compunham a imagem do casal romântico. Ao meio-dia em ponto, estava na portaria esperando por ela. O prédio tinha uma espécie de gaiola gradeada que protegia a portaria, e o porteiro ofereceu-lhe um banquinho de madeira para que esperasse sentado ali dentro. Meio-dia e quinze, e Paula não havia chegado... Meio-dia e meia... Quando deu uma hora, ele se convenceu de que ela não viria, imaginou o trânsito interrompido por um acidente... ou um acidente com o carro de Paula... que ele não sabia qual era, se novo ou velho... Voltou ao apartamento para ligar para ela. Foi quando se deu conta de que não tinha o número, nem do fixo nem do celular, tampouco sabia se ela usava celular. O único número que tinha era o que ela própria escrevera no guardanapo de papel mas que anotara errado. Não havia nada a fazer, a não ser trocar de roupa, comer um sanduíche e retomar o trabalho de tradução.

No final da tarde, o telefone tocou. Ele atendeu antes do terceiro toque.

— Vicente, querido, mil desculpas. O carro enguiçou em plena avenida Copacabana. Não houve meio de ele voltar a funcionar. Tive que chamar o reboque e ele demorou um tempão, eu não podia abandonar o carro porque ele seria rebocado. O socorro chegou depois de mais de uma hora. Como não conseguiram fazer o carro funcionar, ele foi levado para uma oficina em Botafogo, que eles sabiam que abria aos domingos. Saí da oficina passava das quatro e a bateria do meu celular estava descarregada. Achei melhor voltar para casa antes que acontecesse alguma coisa mais.

— Lamento pelo que você passou. Agora está tudo bem? — perguntou Vicente.

— Está. Mas e você? Ficou me esperando esse tempo todo? Liguei para você, mas ninguém atendeu. Sei que você não tem celular... e o meu estava com a bateria descarregada...

— Está tudo bem, não se preocupe. Fiz um lanche aqui em casa mesmo, e estou trabalhando na minha tradução. Almoçamos num outro dia, num outro domingo.

Assim que Paula desligou, Vicente verificou o registro de chamadas recebidas e constatou que não havia nenhuma chamada não atendida naquele dia. Além do mais, ele tinha celular. Não sabia se dera o número a ela.

O aparecimento das imagens da mulher desmembrada se intensificou, sendo que agora incluía flashes isolados do rosto de Paula e da cadeira de rodas. O dia ainda não terminara. Tentou trabalhar, tinha deixado a tradução no meio de uma frase, nunca fazia isso, mas daquela vez foi impossível continuar. Tomou sua medicação, deitou-se no sofá e conseguiu dormir pouco mais de uma hora. Acordou ainda um pouco agitado e inquieto. Até então, não havia feito em sonho nenhuma associação entre a mulher nua desmembrada e a cadeira de rodas. A imagem de Paula — ou de alguém que ele julgava ser Paula — já tinha aparecido algumas vezes, mas imóvel e silenciosa como uma estátua. Nas primeiras aparições, havia apenas parte de um corpo morto de mulher; nas aparições seguintes, havia mais partes, até o corpo, sem a face, aparecer por inteiro, exceto pelo fato de os membros estarem destacados do tronco. Agora o conjunto vinha acompanhado da cadeira de rodas, como se um corpo disjunto precisasse de uma cadeira de rodas mais que de um carrinho de supermercado ou de um carrinho de mão. Além do mais, para carregar um corpo morto numa cadeira de rodas, seria necessário que ele estivesse pelo menos inteiro. Esses pensamentos lhe ocorreram enquanto ainda estava deitado no sofá. Levantou-se e foi até a janela. Já era noite e caía uma chuva fina e regular.

4.

A janela acesa no apartamento um andar mais baixo que o dela do prédio bem em frente, no outro lado da rua, sempre fascinara Anita. Não se tratava de uma janela qualquer iluminada em meio a várias outras, mas de uma janela solitária recortada contra a escuridão. O recorte amarelo, vazio, sem figura, sendo ele próprio figura contra o escuro da noite, exercia uma atração mágica. Ela imaginava que naquela sala o homem narrava, noite após noite, uma história interminável, para um ou dois amigos que permaneciam não visíveis para ela. Naquela noite, porém, o homem estava na janela. Anita quase sempre o via sentado digitando num computador — percebia a luz branca da tela iluminando o rosto dele e o movimento das mãos —, nunca o vira de corpo inteiro. Também nunca o vira acompanhado. Claro que não se dedicava a vigiar a janela todas as horas do dia, mas, sempre que estava em casa, olhava para o apartamento em frente para ver se havia alguém ali, e o que sempre via era o homem sentado ao computador. E naquela noite ele estava em pé, olhando para ela, ou pelo menos era o que ela achava, a chuva fina tornava difícil discernir a direção do olhar do outro àquela distância e na contraluz. Pensou em acenar para ele, mas o aceno poderia ser interpretado como um chamado, e minutos depois um desconhecido tocaria o interfone perguntando se podia subir. O fato era que nunca vira ninguém mais naquele apartamento a não ser ele. Decidiu fazer um gesto ambíguo que poderia ser visto como um aceno ou como um movimento de fechar a persiana, mas, assim que moveu o braço, o homem virou as costas e afastou-se da janela em direção à outra parte do apartamento que não dava para ela ver. Passado pouco mais de um minuto, o homem retornou à sala, mas não se aproximou da janela, apagou a luz do teto, desligou o computador, deixando acesa apenas a luz do abajur, e deitou-se em seguida no sofá. Ela também saiu da janela.

Nunca havia encontrado aquele homem na rua, no supermercado, na farmácia ou no banco e, mesmo que tivesse passado por ele, talvez não o reconhecesse. A única coisa que sabia dele era o que podia ver da sua janela, e o que dava para ver era uma estante de livros e uma mesa sobre a qual devia haver um computador do qual ela via apenas a tela, mesmo assim de perfil, e uma cadeira giratória, supunha, de rodinhas: às vezes o via deslizar de lado ao longo da sala. Talvez ele não pudesse andar. Por isso nunca o tinha visto na rua. Mas ele acabara de se afastar andando da janela, o que a fez se lembrar de já tê-lo visto andando pela sala. A semana mal começara, e lá estava ele, um verdadeiro devoto ao seu objeto de trabalho que ela não sabia qual era. Ele podia ser escritor — o que sem dúvida era, já que escrevia o dia todo, todos os dias, sem pausa nos fins de semana e nos feriados, ainda que ela não tivesse ideia do assunto sobre o qual ele escrevia; podia ser um estudioso erudito dedicado a escrever uma tese; podia ser um viciado em videogames ou em redes sociais; o fato era que não saía da frente daquele computador, o que falava a favor das duas primeiras hipóteses, já que aquela devia ser a sua fonte de renda, porque uma coisa era certa: ele não saía de casa para trabalhar. Mesmo à distância, dava para perceber que não era moço, o cabelo parecia ligeiramente grisalho nas têmporas e o rosto marcado. Mais de quarenta, avaliou, e menos de cinquenta. Não que isso tivesse importância. Ele teria idade para ser pai dela. Era um velho. O apartamento devia ser um quarto e sala com duas janelas dando para a rua: uma, por certo a do quarto, ficava com a persiana permanentemente fechada e a outra, da sala, tinha as persianas sempre levantadas, o que permitia que de seu posto de vigia ela visse a sala em toda a sua extensão: da janela da frente à porta de entrada, muito embora a única coisa que visse era aquele homem digitando sem parar dia e noite. Talvez um romance... Talvez ele estivesse olhando para o vazio do céu e não para ela. Se fosse para ela, ele teria feito algum sinal, um aceno, mas permanecera imóvel o tempo todo, olhando na direção dela... parecia.

Os sinais prenunciadores da crise que o assustaram na véspera não se repetiram e ele pôde, na segunda-feira, retomar o trabalho de tradução no ritmo de sempre. A imagem da mulher desmembrada, agora acompanhada da cadeira de rodas e da figura de Paula, continuava presente como pano de fundo, mas com a mesma frequência, e sem chegar a interromper o trabalho. Paula passara a fazer parte daquela fantasmagoria numa tentativa, da parte do autor, de introduzir um rosto onde não havia nenhum, mas sem sucesso: o corpo desmembrado continuou desmembrado e sem rosto, apenas ligado a um nome pela anotação na caderneta. Se tivesse algum poder sobre os conteúdos das imagens, retiraria tanto a figura de Paula quanto a cadeira de rodas, ambos elementos do presente imediato. Mas, se isso fosse possível, pensou, construiríamos sonhos como um diretor de cinema constrói filmes, e nem todo mundo é Fellini ou Bergman; além do mais, nos sonhos não somos diretores nem roteiristas, somos apenas a tela. O máximo que podemos fazer é cortar a luz.

Esperou o telefonema de Paula marcando um novo encontro para compensar o almoço frustrado, mas até as duas não houve chamada, e ela sempre aproveitava o intervalo do almoço para ligar. Era mais provável que ela ligasse na quarta, marcando o almoço para quinta, dia da aula na praia Vermelha. Ainda era segunda-feira. Desceu para almoçar e comprar alguma coisa para a noite, não pretendia descer duas vezes, ainda mais com aquela chuva irritante que não parava. Ele de fato não se importava com a chuva, tanto que nem tinha guarda-chuva. Além do mais, bastava atravessar a rua para estar no restaurante onde costumava almoçar. Portanto, não era a chuva que era irritante, tampouco eram as imagens da mulher desmembrada, aquilo não era irritante, era de outra natureza, era persecutório, ameaçador. Paula era irritante.

Entrou no restaurante decidido a não comer frango assado. O prato do dia era pernil, também assado. Pediu o pernil como se estivesse cometendo uma infração ou agindo imoralmente, mas no final achou que o crime compensara. Mandou embrulhar umas fatias extras para o sanduíche noturno e passou no supermercado para comprar pão preto, certo de ter operado uma grande mudança no seu cardápio cotidiano. Não conseguia procurar com atenção o pão de fôrma porque o tempo todo era observado por uma mulher jovem que estava duas prateleiras adiante, procurando algum produto que não devia interessá-la, já que seu olhar estava o tempo todo voltado para ele. Não era um olhar sedutor, mesmo porque, apesar de se tratar de uma moça bonita, ela teria idade para ser sua filha, o que não queria dizer nada, mas era a qualidade do olhar que afastava a hipótese de sedução. Ela o olhava como se fosse uma pesquisadora observando uma espécie rara em extinção, o que, pensando bem, não seria inteiramente despropositado. Mas não era isso que o preocupava, e sim o fato de ela parecer familiar. Se estavam fazendo compras no mesmo supermercado, era porque deviam ser vizinhos, o que não facilitava o reconhecimento, uma vez que ele não conhecia quase ninguém do prédio onde morava. Pegara um pão que não sabia se era o que estava procurando, não conseguia olhar para o pão, olhava para ela, e por algum motivo ainda oculto não sabia o motivo de estar preso ao olhar dela, que não estava voltado para o olho dele, mas para o rosto dele; não era o seu olhar que parecia lhe interessar, mas o rosto, as feições, como se ela estivesse fazendo um reconhecimento. Terminado o exame, ela o olhou nos olhos, cumprimentou-o com um leve movimento de cabeça, girou o corpo e saiu sem comprar nada.

Vicente largou o pão de fôrma na prateleira e foi atrás dela. Atrapalhou-se porque tentou sair por uma das caixas de pagamento; voltou, contornou a fileira de caixas e saiu pelo mesmo lugar pelo qual tinha entrado; quando chegou à calçada, a moça havia sumido; olhou para os dois lados; procurou do outro lado da rua; foi até a esquina mais próxima; retornou ao supermercado na esperança de ela ter voltado para lá, mas a busca foi inútil. Contentou-se em pegar o pão de fôrma que deixara na prateleira e saiu pela segunda vez da loja. Voltou para casa prestando atenção nas pessoas de ambas as calçadas. Se ela havia desaparecido tão rapidamente, era porque devia morar na mesma rua e na mesma quadra. Ficou ainda um tempo parado na entrada de uma galeria à espera de que ela saísse de alguma loja ou da portaria de um prédio onde tivesse se escondido por alguns minutos, embora não houvesse motivo para ela se esconder. Foi andando lentamente até seu prédio, demorou-se olhando em torno, tocou a campainha da portaria e entrou.

Deixou o pão e a quentinha com o pernil sobre a pia da cozinha, sentou-se ao computador e conferiu o ponto do texto de Poe onde havia parado. Retomou o trabalho e só se levantou quando olhou para fora e viu que era noite. Não percebeu a silhueta feminina na janela do apartamento em frente. Ainda estava olhando para fora quando recomeçaram a aparecer as imagens do corpo desmembrado; surgiam como que em ondas, tendo cada imagem a duração de poucos segundos. Voltou à tradução para ver se o trabalho afastava as imagens ameaçadoras. Não afastou, mas diminuiu a frequência das aparições. Conseguiu trabalhar mais uma hora, quando as imagens retornaram com a mesma intensidade de sempre. Levantou-se e andou da janela até porta de entrada e de lá até a janela; nada que pudesse ser comparado a uma caminhada pela orla, mas aliviava a coluna após horas de digitação. Foi numa dessas idas da porta até a janela que percebeu a silhueta na janela defronte. Não dava para divisar as feições da pessoa, uma figura de mulher, sem dúvida. Ficou um tempo à janela, não mais atento à mulher em frente nem a coisa nenhuma em particular, até sentir que a frequência das aparições tinha diminuído consideravelmente. Concentrou o olhar na janela defronte, e a mulher ainda estava lá. Talvez fosse isso, tinha que substituir a figura lembrada ou imaginada por uma figura real, ainda que distante e pouco definida como a da mulher em frente ou, de preferência, por uma mulher real e concreta como Paula.

Na manhã seguinte, um pouco antes do meio-dia, o telefone tocou, era Paula. Estava um dia adiantada, ainda era terça-feira, e ela ligava sempre às quartas, quando ligava.

— Olá, querido, como está passando?

— Bem melhor. Não tive nenhuma crise e as imagens diminuíram de frequência e de intensidade.

— Ótimo! Podemos então remarcar nosso almoço perdido...

— Quinta-feira, no teatro de arena, mesma hora?

— Combinado.

Os dois dias passaram como se fossem apenas um, as noites se fundiram numa só como numa negação do que havia entre elas. Essa experiência de compressão do tempo que lhe acontecia em situações de espera prolongada (e dois dias era uma espera prolongada) quase sempre se fazia acompanhar de angústia. Não era propriamente a espera que o angustiava, já que a compressão do tempo a eliminava, mas o vazio que ficava em seu lugar, um vazio sem lembrança, sem objeto, sem sentido; ficava apenas o vago sentimento de ter dormido um sono sem sonho ou de ter praticado alguma ação, como a de se deslocar fisicamente, mas ele não era capaz de dizer se essa ação tinha sido realizada nesse intervalo de dois dias ou se se tratava de algo que acontecera havia meses ou anos.

O encontro com Paula obedeceu à mesma sequência dos

anteriores, até o momento de escolherem o restaurante, quando ela sugeriu que fossem almoçar fora do campus, num restaurante à beira-mar. Não era uma mudança radical, mas era uma mudança significativa, algo que tocava a natureza da relação entre eles, porém ele não sabia interpretar os signos que estavam em jogo.

— Eu estou de carro. Vamos sair pelas praias em direção ao Recreio até acharmos um restaurante simpático num local agradável.

Foram andando rumo ao estacionamento até encontrarem o carro. Nenhum dos dois disse nada durante o percurso sinuoso entre as centenas de veículos estacionados.

— Este é o mesmo carro que enguiçou com você dentro no domingo?

— É, mas pode ficar tranquilo que hoje ele não vai enguiçar.

— Como sabe?

— Sei porque troquei a peça que estava com defeito.

— Acho isso estranho — comentou Vicente.

— Isso o quê?

— Carro.

— Você é realmente uma pessoa curiosa — disse Paula, entrando no carro e ajudando Vicente a ajustar o cinto de segurança.

Demoraram algum tempo para sair do estacionamento lotado, mas uma vez na rua chegaram à avenida Atlântica em poucos minutos. Vicente não entendia a empolgação repentina de Paula. Suas conversas eram, em geral, objetivas e sem divagações ou comentários afetivos, e naquele momento ela parecia uma adolescente a caminho da primeira aventura amorosa com o namorado. Não eram adolescentes, conheciam-se havia mais de dez anos e, quanto a se tratar de uma primeira aventura amorosa com o namorado, nada tinha sido combinado ou sugerido por nenhum dos dois. Mas, ao mesmo tempo, Vicente não acreditava que a animação de Paula se devesse apenas à proximidade de um almoço à beira-mar, o que tornava admissível a possibilidade de um encontro amoroso. Percorreram toda a orla da Zona Sul desde Copacabana, cruzando Ipanema e Leblon, sem que Paula se mostrasse interessada por nenhum dos inúmeros restaurantes que deixaram para trás. Na verdade, ela nem sequer prestava atenção neles. Subiram a avenida Niemeyer, onde não havia restaurantes na pista estreita junto à pedra, apesar da vista deslumbrante para o mar do lado esquerdo. Passaram pela praia de São Conrado como se ela não existisse, atravessaram o túnel sob a Pedra da Gávea e desembocaram na Barra da Tijuca, onde teriam muitos quilômetros de praia pela frente, sem que Paula parasse de falar e sem que Vicente entendesse o que ela dizia. Paula transformara a fala numa cantilena monótona que o irritava num crescendo insuportável, a ponto de ele tentar se livrar do cinto de segurança para poder saltar assim que ela parasse o carro ou diminuísse a velocidade.

— Está se sentindo mal? — perguntou Paula.

— Acho que estou um pouco enjoado. Ainda não comi nada hoje.

— Coitado! E eu aqui falando pelos cotovelos. Vamos comer alguma coisa agora mesmo.

Paula parou no primeiro restaurante que encontrou. Mais propriamente um bar. Mas era na beira da estrada e, apesar de pequeno, parecia agradável.

— Está bom para você? — indagou Paula, assim que saltaram.

— Está ótimo. Só preciso dar uns passos aqui fora para eliminar o enjoo.

O estacionamento era pavimentado de conchas e continuava pelas laterais do restaurante por alamedas arborizadas, meio que escondendo a construção baixa mas com um bom número de janelas que se estendia pela parte dos fundos.

— Parece que temos algo mais que um simples restaurante de beira de estrada — comentou Paula.

— É verdade — concordou Vicente de imediato.

Paula ficou a pensar se ele se referia à continuação do restaurante ou às alamedas arborizadas.

O restaurante tinha apenas dez mesas e nenhuma ocupada.

Escolheram a mais agradável, junto à janela de frente para o mar. Foram atendidos por um homem que poderia ser o dono, o segurança ou o cozinheiro. O tipo físico combinava com qualquer dos três, mas, pela satisfação com que sugeriu o prato do dia — filé de peixe à moda da casa —, devia ser o cozinheiro, sendo que nem Paula nem Vicente se preocuparam em saber como seria a moda da casa.

— Para um restaurante com um motel anexo estar tão vazio numa hora dessas, um dos dois, o restaurante ou o motel, deve ser ruim — disse ela.

— Espero que não seja o restaurante — respondeu Vicente.

— Por quê?

— Porque já estamos sentados e já fizemos os pedidos, enquanto o motel... bem... há opções melhores.

— Quer dizer que você é um conhecedor dos motéis do Rio.

— Dos motéis, não. O único lugar que conheço bem é o meu apartamento.

Antes de Paula desfazer a expressão de surpresa, o garçom apareceu com uma cesta de pão e uma bandeja com vários potinhos contendo manteiga, cremes, patês e geleias.

— Bebidas? — perguntou o homem.

— Para mim, refrigerante, estou dirigindo — disse Paula.

— Vocês não precisam sair assim que terminarem o almoço... Temos suítes confortáveis se quiserem descansar e esperar passar o efeito da bebida.

— Obrigado, mas temos compromisso em Copacabana, depois do almoço.

5.

De sua janela, Anita não tinha acesso a todos os movimentos do vizinho do apartamento em frente. Mantinha razoável vigilância depois que chegava em casa, à noite, e em algumas manhãs nas quais ia mais tarde para o trabalho.

Havia duas noites que o homem não saía da frente do computador, digitara durante horas como um autômato, na manhã do terceiro dia ela achou que ele acordara nervoso. Não trabalhou, ficou andando de um lado para outro, entrava e saía do quarto, experimentou calças e camisas diferentes. Ela não conseguia ver senão a sala, mas era evidente que ali não havia espelho. Assim, quando ele queria se ver de corpo inteiro, tinha que ir para o quarto, saindo do seu campo de visão, e nem sempre ela podia esperar pelo retorno dele. Sua atividade de espiã se restringia à parte da noite e, mesmo assim, era constantemente interrompida pelos chamados da avó. Naquele momento mesmo, ela não dispunha de mais que meia hora antes de ir para o trabalho; por sorte foi quando ele voltou à sala, provavelmente depois de ter tomado banho. Pelo número de vezes que experimentou calças e camisas — coisa que nunca o tinha visto fazer —, por certo teria um encontro importante. Talvez um almoço. Saíram quase ao mesmo tempo; ele, uns dez minutos antes dela. A parte da tarde era um longo intervalo entre os dois atos, sendo o noturno o principal.

Quando chegou em casa no final do dia, foi ao quarto da avó para ver como ela estava, trocou algumas palavras com a acompanhante e voltou à sala. Havia luz na sala do apartamento em frente. Como de costume, a luz do abajur. E havia uma mulher que logo em seguida entrou no quarto; parecia que estava nua. Foi muito rápido. Ela não demorou a reaparecer, nua, inteiramente nua, e atrás dela o escritor, também nu, para logo voltarem ao quarto... ou ao banheiro... não saberia dizer. Continuou olhando, sem saber se ia até a cozinha para aquecer seu jantar no micro-ondas ou se permanecia na janela para não perder nenhuma cena. Não saiu da janela durante os quinze minutos seguintes. Podia ter saído, porque não aconteceu nada. Foi rápido à cozinha e pôs o prato no micro-ondas. Quando retornou, estavam os dois na sala. Nus. Não estavam abraçados nem se beijando ou trepando, simplesmente estavam nus e andavam pelo apartamento. A única luz acesa era a do abajur que ficava junto do sofá, o que não contribuía para uma observação detalhada da cena, sobretudo daquela distância. De repente os dois foram para o quarto. Anita aproveitou e foi tirar o prato do micro-ondas que já tinha apitado, botou o prato no peitoril da janela e continuou a vigília enquanto comia. Minutos depois o casal reapareceu na sala. Não entendia o que se passava. O homem continuava nu enquanto a mulher tinha vestido a calcinha e a blusa, e davam a impressão de estar procurando alguma coisa nas estantes, quando ela foi até o outro cômodo e voltou com um copo de água e o que poderia ser um frasco de remédio. Após algum tempo, a luz do abajur foi apagada e Anita não conseguiu ver mais nada. Ficou ainda mais uma hora na janela, mas não percebeu nenhum movimento na sala em frente.

Manhã de sexta-feira, Vicente acordou sentindo-se mal. A cabeça doía e a boca estava gosmenta. O despertador marcava cinco e quinze, o dia ainda não clareara. Tentou se levantar para ir ao banheiro, mas as pernas estavam dormentes e sentia-se tonto. Ficou sentado alguns minutos na beira da cama, esperando passar a tonteira para dar alguns passos até o banheiro. Não se lembrava do que acontecera na véspera. Lembrava-se de ter saído de carro com Paula... de terem almoçado... Tinham trepado ou era sonho? Estava com fome. Na geladeira encontrou suco de laranja, pão de fôrma, queijo e alguns frios. Fez dois sanduíches e sentou-se à mesa da sala. Enquanto comia, olhou em volta: havia roupas pelo chão, gavetas abertas e remexidas, caixas de remédio espalhadas na mesa. Tivera uma crise... sem dúvida. Na rua ou em casa? Não se lembrava de nada. O mais provável era que estivesse acompanhado. Quem procurou o remédio não conhecia a embalagem, daí o monte de caixas espalhadas; além do mais, ele acordara na cama. Caso ele tivesse caído no chão da sala, alguém o ajudara a se deitar na cama. Esperou Paula ligar no dia seguinte para comentar algo: o passeio, o almoço, a trepada, a crise convulsiva. Alguma dessas coisas devia ter acontecido... ou todas. Para complicar, as imagens do corpo desmembrado voltaram com força e com um detalhe: agora havia outro corpo, não um corpo diferente, mas um duplo do corpo original, também com a face apagada. A tarde de sexta foi também total ou parcialmente perdida, restaram fiapos de lembranças que não chegavam sequer a formar uma cena, eram apenas fragmentos ou marcas sensoriais.

À noite, quando passou pela sala e olhou para o prédio em frente, Anita teve a impressão de que nada tinha acontecido na noite anterior: a mulher nua, o homem nu, a movimentação que mais parecia um jogo de busca do tesouro... nada parecia ter acontecido, o homem estava sentado à mesa do computador, como se ela fosse uma cena montada e ele um boneco mecânico que mexia braços e mãos simulando um trabalhador. O apartamento aparentava a mais absoluta calma e não havia nenhuma mulher nua perturbando a paz habitual. Foi direto ao quarto da avó, conversou um pouco com ela e ouviu o relatório da acompanhante.

— Vó, amanhã é sábado, se o tempo estiver bom, vamos dar uma volta com a cadeira de rodas para ver as novidades. Vamos ver as vitrines, vamos entrar num supermercado pra ver tudo o que tem nas prateleiras, coisas que não fazemos há muito tempo.

— Ah, minha filha, vai ser muito cansativo para você.

— Que nada, vó, gosto de dirigir.

Como o ambiente no vizinho estava tranquilo, tomou banho sem pressa e aqueceu o jantar.

Quando voltou ao seu posto de vigia, encontrou a sala às escuras, o homem não estava diante do computador e não havia nenhum sinal de luz no resto do apartamento, nada que indicasse que ele estivesse no banheiro ou na cozinha, tampouco estaria no quarto, daria para perceber alguma réstia de luz mesmo com a persiana fechada.

Anita ficou ao mesmo tempo triste e curiosa. Ele nunca saía à noite... nem para jantar... muito menos para se divertir... ideia que talvez nunca tivesse passado pela cabeça daquele homem. Era o que ela pensava e era o que suas observações sugeriam. Aquele homem não via nem televisão, talvez nem soubesse que havia filmes para alugar nas videolocadoras. E agora ele tinha saído. A não ser que estivesse dormindo... coisa que também estava fora de cogitação, eram oito e quinze, e ele nunca parava de trabalhar antes da meia-noite. Não para dormir. Tal como ela.

Não sairia da janela até que ele chegasse, qualquer que fosse a hora. Puxou a poltrona para perto da janela, pegou as almofadas do sofá e os seus travesseiros para o assento ficar mais alto, apagou as luzes da sala e pôs-se à espera. Acordou com a voz da avó, queria mudar de posição, estava com o braço dormente. Anita aprendera a técnica usada pelas enfermeiras nos hospitais: puxou o lençol menor sobre o qual a avó estava deitada, fazendo com que o corpo dela rolasse como um lápis. Simples, e não precisava de força. Quando terminou de cobrir a avó, olhou o despertador. Marcava três e cinquenta e cinco. Olhou para o prédio em frente, não tinha nenhuma janela iluminada. Quatro horas da madrugada. Ficaria sem saber se ele havia saído ou ido dormir.

Acordou com os ruídos da acompanhante fazendo a higiene matinal da avó. Foi até o quarto dar bom-dia às duas, olhou para o céu e disse:

— Então, vó, prefere dar seu passeio de cadeira na parte da manhã ou na parte da tarde?

— Acho melhor na parte da manhã, a Lúcia pode ir conosco e revezar com você na direção.

— Acordou afiada, hem, vó? Mas vamos ter de esperar o comércio abrir as portas, senão o passeio perde a graça.

Enquanto tomava o café da manhã, Anita pensava no homem do prédio em frente e no seu desaparecimento repentino. Precisava encontrar um nome para ele, caso contrário ficaria "o homem do prédio em frente" ou apenas "ele". "Escritor" era um bom nome, decidiu por fim.

O passeio com a avó foi ótimo. Entraram em todas as lojas que comportavam sem atropelo uma cadeira de rodas. Os supermercados eram os melhores, foram projetados para possibilitar a circulação de carrinhos abarrotados de compras, vários ao mesmo tempo no mesmo corredor, podiam acolher uma cadeirante.

Voltaram para casa no final da manhã, alegres como crianças voltando de um parque de diversões.

Quando chegaram à portaria do prédio, Anita avistou o escritor andando na calçada oposta. Não o via desde a quinta-feira. E nem conseguiu enxergá-lo direito, um táxi impedia a visão completa da cena. Não adiantava se apressar, o homem sozinho chegaria ao seu apartamento antes delas, que estavam empurrando a avó numa cadeira de rodas. A imagem que ela fez, do pouco que pôde observar o vizinho, foi a de um homem com a roupa em desalinho e cabelos revoltos. Quando as três entraram no apartamento, Anita ajudou a acompanhante a passar a avó para o leito e dirigiu-se rapidamente à janela da sala. O homem não estava visível. Provavelmente entrou no banheiro assim que pisou em casa, e ficaria algum tempo fora da sala.

Almoçou com a avó no quarto e comentaram o passeio, as pessoas, as lojas, e as mudanças nestas e nas vitrines, deixando por último as novidades oferecidas nas prateleiras do super-mercado e as que haviam comprado. Terminado o almoço, a avó disse que estava cansada e que dormiria um pouco. Anita foi até a sala, mas o escritor ainda não tinha assumido seu lugar de digitador.

Não fazia nenhuma diferença, para o escritor, se era uma segunda-feira, um sábado ou um feriado. O calendário não alte-rava sua rotina diária. Passara o fim de semana digitando o que parecia ser a narrativa das *Mil e uma noites*. Se isso por um lado facilitava a tarefa de Anita de observar e anotar o monótono passar do tempo no apartamento do seu vizinho, por outro lado esse registro podia ser reduzido a um curto período: "Toda noite o homem aparecia na janela defronte à minha, no prédio defronte ao meu, sentava à mesa e escrevia. Apenas isso e nada mais". Assim, aquela noite de segunda-feira em nada diferia da noite do sábado ou da tarde do domingo. A postura do escritor era a mesma, a concentração era a mesma, o tempo de trabalho era o mesmo. Não havia interferência do mundo exterior (nun-ca o vira falar no telefone ou receber visitas) e as interferências interiores também eram raras. Por isso, estava procurando si-nais que a levassem a entender o que se passara na noite de quinta para sexta-feira. Naquela noite, a atmosfera monástica do apartamento fora tomada por espíritos e comportamentos demoníacos que escapavam à sua compreensão mas que reve-lavam uma nova e fascinante região da vida do escritor.

De manhã, ao sair para o trabalho, lançou um olhar ao apartamento do escritor apenas para constatar sua ausência na sala. Não se deteve para esperar seu retorno. O encontro acidental com ele, ao voltar do passeio com a avó, fora muito breve, não mais de dez segundos, os quais, no entanto, seriam suficientes caso estivesse prevenida e sozinha. Mas, da maneira como se dera, metade dos dez segundos foi perdida com o espanto. Mesmo assim, guardara nitidamente a imagem da face e as linhas gerais do corpo. Era bem mais alto do que ela, rosto bonito e forte, olhos escuros, cabelos lisos e também escuros. E já era muito para o tempo mínimo que lhe fora concedido. No percurso do metrô até o Centro, procurava se lembrar de pequenos detalhes não gravados, como um pássaro que cata migalhas na calçada: a roupa estava amassada, o cabelo revolto.... Certamente não a conhecia e, portanto, não a reconhecera. Era tão estranho de perto quanto de longe, mas sem dúvida era bonito e atraente. Precisava saber quem era a mulher que estava com ele na noite de quinta para sexta.

Quando voltou do trabalho, no final da tarde, lá estava ele diante do computador como se nunca tivesse saído daquela posição: o escritor, tal como O pensador... a mesma imobilidade.

Podia aproveitar aquela imobilidade e ir visitá-lo. Mas claro que não ia tocar a campainha e fazer uma visita ao escritor — embora não fosse má ideia...

— Boa tarde, senhor. Meu nome é Anita, já nos vimos algumas vezes, uma delas muito de longe e outra muito de perto, ambas distraidamente, sem deixar impressões nítidas e duradouras. Sou sua vizinha do prédio em frente. Aquela janela ali, defronte à sua. Ambos ficamos acordados até tarde, e, pelo que pude notar, nenhum dos dois gosta de assistir TV. Ficam, então, as duas janelas com as luzes acesas, uma em frente à outra. Mas as janelas não falam, tampouco as pessoas que estão por detrás delas, a sua, por exemplo, parece ter o vidro bem grosso, mesmo que eu tentasse falar, ou até mesmo gritar, não conseguiria chamar sua atenção. Por isso, tomei a liberdade de vir em pessoa e me apresentar. Até hoje, eu o chamava de "escritor". O porquê desse apelido é óbvio: todas as vezes em que olhei pela janela você estava sentado digitando sem parar. Você é indiscutivelmente um escritor. Apenas não sei que tipo de escritor, se um romancista, um contista, um poeta...

— Sou tradutor — diria ele.

— Tradutor! Não tinha pensado nisso. Claro! Você digita sem parar... às vezes horas seguidas... Acredito que um escritor, um romancista, faça longas paradas para pensar, para refazer frases, parágrafos, capítulos inteiros, não que o tradutor seja um autômato que transcreve de uma língua para outra sem pensar...

— E qual é o seu nome?

— Anita.

— E o que você faz além de espionar vizinhos, Anita? — perguntaria ele.

Nesse momento ela ficaria sem jeito e se levantaria como que iniciando um movimento de saída — supondo-se, é claro, que, ao abrir a porta, ele a tivesse convidado a entrar, e então ela estivesse sentada na poltrona da sala e ele na cadeira giratória onde passava a maior parte do seu tempo.

Ele se levantaria imediatamente e com muita delicadeza a conduziria de volta à poltrona.

— Não se sinta ofendida. Não há nenhum código municipal que proíba o cidadão de contemplar os prédios vizinhos sem o auxílio de aparelhos. Quando muito, podem te acusar de curiosa.

Ela voltaria a sentar e ficaria olhando para ele como que esperando para ver qual peça ele moveria em seguida... Ou pediria desculpas pela intromissão e se despediria, estendendo a mão e se encaminhando à porta.

Com surpreendente rapidez e agilidade, o escritor passaria à sua frente e trancaria a porta, retirando a chave. Numa reação instintiva, ela olharia para a sua janela a fim de verificar se estava lá, olhando para o apartamento do escritor, ou se era verdade que estava trancada no apartamento dele sem nenhuma chance de escapar.

— Está em dúvida? — diria ele. — Não sabe se está lá ou aqui? Foi você mesma que quis bisbilhotar minha casa. Não foi suficiente o número de noites e as inúmeras horas que ficou vigiando o que eu estava fazendo? Não se satisfez com o que viu? Ou será que alguma cena te agradou particularmente e você resolveu experimentar? Você é muito bonita. Deve ser de ascendência alemã, talvez nórdica... Um exame mais direto e detalhado poderá dirimir as dúvidas.

Ela se levantaria abruptamente, numa tentativa de assustá-lo ou mesmo de intimidá-lo... embora ele fosse muito mais forte do que ela e pudesse facilmente dominá-la... A menos que ela estivesse criando, inconscientemente, uma situação facilitadora de um corpo a corpo. Para sua decepção, ele retiraria as chaves do bolso, destrancaria a porta, e com um gesto cavalheiresco lhe franquearia a saída.

Ela se sentiria na obrigação de dizer alguma coisa, esboçar um agradecimento... nada de estender a mão ou dar dois beijinhos no rosto... Seria preferível o silêncio ao ridículo. E ela sairia em silêncio, cabeça erguida, passos lentos... sem pressa.

Enquanto aquecia o jantar no micro-ondas, Anita refletia sobre sua aventura vespertina. Sentira-se intimidada feito uma menininha. Entrara no bosque do escritor como uma loba e saíra como Chapeuzinho em busca da vovozinha.

6.

Haviam se passado seis dias desde que Paula saíra do apartamento de Vicente deixando-o entregue aos primeiros sinais de uma crise. Não saíra mais cedo por medo da reação dele... e também porque estava inteiramente nua. Vicente havia escondido suas roupas num momento de brincadeira — que se mostrou mais tarde não ser tão de brincadeira quanto parecera no início —, e ela não se dispunha a sair correndo nua porta afora. Percebeu em seguida que ele escondera também a chave da porta. A roupa, ou parte dela, estava no chão debaixo da cama; não conseguira encontrar o sutiã, mas o que tinha na mão já era suficiente para sair à rua sem atrair a atenção dos transeuntes; a chave foi mais difícil de encontrar, mas verificou que ele deixara a porta destrancada. Nas vezes anteriores em que presenciara crises de Vicente fora a primeira a socorrê-lo e permanecer ao seu lado até ele se recuperar. Mas tinha se passado mais de uma década e ela não sabia o caminho tomado pela doença. Experimentara naquela noite até que ponto podia chegar o arrebatamento — voluntário ou involuntário — do antigo namorado e compreendera que a crise em si era apenas uma descarga final que só podia causar danos corporais ao próprio doente. Mas ela não queria verificar se era isso mesmo. Havia ainda o detalhe de Vicente, durante a exaltação pré-crise, chamá-la o tempo todo de Fabiana, e ela sabia o destino, mesmo que imaginário, que Fabiana tivera.

Tinham se passado seis dias e ela não conseguira telefonar para saber como ele estava. Era uma quarta-feira, dia em que ela costumava ligar, e era a hora do almoço. Pegou o celular e ligou. Vicente atendeu ao segundo toque.

— Vicente...

— Paula! Quanto tempo.

A voz era limpa e acolhedora.

— Vicente, como você está passando?

— Muito bem. Por que a pergunta?

— Na noite em que estive aí, você não estava muito bem.

— Qual noite?

Vicente não tinha lembrança de nada. Nem do fato de ela ter estado com ele aquela tarde inteira e quase toda a noite. Era como se nada houvesse acontecido. Ouvindo Vicente, ela chegou a duvidar dos acontecimentos daquela noite, mas ainda trazia no corpo marcas bem verdadeiras e eloquentes. Decidiu não comentar seu esquecimento dos fatos ocorridos desde o momento em que haviam se encontrado no início da tarde de quinta-feira até a madrugada de sexta, quando ela deixara o apartamento.

— Vamos almoçar amanhã? É meu dia na Escola de Comunicação — perguntou Paula.

— Sim, vamos... Te espero no lugar de sempre.

Paula não notou nenhuma alteração na voz nem no modo de falar de Vicente, nenhuma reação defensiva em face do convite para o almoço. Ele não se lembrava de nada. Podia ter acontecido coisa mais grave naquela noite, o que, aliás, quase aconteceu, e não restaria nenhuma lembrança, a não ser... Pela primeira vez ocorreu-lhe que a imagem da mulher desmembrada que assombrava o cotidiano do antigo namorado pudesse ter um referente na realidade. E o medo fez surgir o desejo súbito de desmarcar o almoço do dia seguinte. Do tanto que conhecia Vicente e da retomada do contato depois de uma década de ausência, e das conversas que tiveram após essa retomada, o que sabia era que, salvo as desagradáveis emergências das imagens da mulher desmembrada, ele não era dado a conflitos interiores, a impasses diante da realidade cotidiana, a preocupações com o futuro. Não temia o futuro, pelo simples fato de sua representação do tempo ser extremamente curta. À parte os esquecimentos imediatamente seguintes às crises — dos quais e das quais ele não tinha lembrança —, havia uma faixa muito limitada de retenção do passado e outra ainda mais limitada de antecipação do futuro. Seu vivido temporal era constituído de passado imediato, de futuro imediato e de um presente que lhe parecia permanente. "Mês passado" ou "próximo mês" eram tempos longínquos; e a referência a anos passados esbarrava num muro intransponível ou encontrava uma nuvem difusa com mínimos sinais de que algo estaria sendo oculto por ela; a dificuldade de antecipação ou expectativa quanto ao futuro encontrava os mesmos limites. O que era vivido por ele como possuindo mais concretude e portanto maior duração era o presente, mas com um detalhe: tratava-se de uma duração sem mutação, como aquela constituída pela repetição interminável das imagens da mulher desmembrada, com sua imutabilidade, imagens às quais ocasionalmente se referia. O próprio trabalho de tradução que estava fazendo era vivido por ele não como um processo ainda em fase de conclusão, mas como algo acabado, apesar de não pronto. Era como um filme a que ele começasse a assistir no cinema, a exibição podia estar ainda no meio mas o filme estava todo lá, pronto e acabado nas bobinas. O futuro era apenas o presente que já estava lá. Vicente vivia o tempo como no mundo natural: sequências imutáveis de mudanças: dia e noite, verão e inverno, quente e frio, tempo feito de eventos e não de acontecimentos. Tempo não histórico. Vivia como se não houvesse história. Apenas alguns poucos eventos deixavam traços, como o nome Fabiana marcado na caderneta.

Apesar de o texto de Poe apresentar dificuldades, sobretudo no que diz respeito à diferença entre os contos e os poemas, entre os poemas e os artigos, e entre estes e os contos de terror e de mistério; apesar da variedade de forma e de conteúdo, o trabalho de tradução corria sem grandes impasses. O que determinava as paradas ocasionais não era a dificuldade do texto, mas a necessidade de se levantar para fazer alguns exercícios de correção postural.

Mas Paula manteve o compromisso. E a leveza com que Vicente a recebeu no anfiteatro do campus desfez o medo da véspera.

Assim que sentaram à mesa ao ar livre da lanchonete, Paula notou que Vicente percebera as marcas no pescoço e nos braços que ela certamente não conseguira disfarçar com cremes, e o calor estava intenso o bastante para não permitir golas altas e mangas compridas. Ele não conseguia evitar olhar para os hematomas, embora não fossem chamativos, mas também não fazia nenhum comentário. A receptividade inicial foi aos poucos cedendo lugar ao mutismo, sem que Paula compreendesse a razão do mal-estar que se apoderara dele.

Ela pousou sua mão sobre a de Vicente.

— Está se sentindo mal?

— Não... É apenas um sentimento esquisito.

— São aquelas imagens perturbadoras?

— Não. Elas não têm aparecido nesses últimos dias... Isso passa logo. Vamos almoçar.

O almoço transcorreu quase que em silêncio, com frases fragmentadas e interrompidas de ambas as partes, para recair no silêncio antes até que alguma coisa fosse efetivamente dita. Despediram-se ali mesmo, formalmente, como embaixadores de países longínquos e exóticos, falando uma língua que não era a de nenhum dos dois. Paula saiu sem saber se haveria outro encontro e sem se lembrar do que comera. Não tinha mais nenhuma aula a dar naquela tarde. Pegou suas pastas e livros e encaminhou-se para o estacionamento, ainda dentro do campus mas distante do prédio da faculdade, distância compensada pelo caminho fartamente arborizado e protegido do barulho do tráfego. Vicente não fizera nenhuma menção ao sutiã que ficara no apartamento... tampouco parecia se lembrar da busca aflita do remédio cujo nome ela ignorava e que não sabia onde era guardado... como nem sequer mencionou o longo passeio de carro e a movimentada noite no apartamento dele. Claro que não iria se lembrar da proprietária do sutiã caso ele fosse encontrado. Quando chegava ao local onde o carro estava estacionado, percebeu que havia um homem encostado nele. Estranhou e ficou levemente preocupada, porque não havia guardadores de automóveis no estacionamento da universidade. Aproximou-se aos poucos, contornando os carros vizinhos ao seu, até alcançar o lado oposto àquele em que estava o homem.

— Vicente!

Ambos se assustaram.

— Que aconteceu? Como você sabia que meu carro estava aqui? — perguntou Paula.

— Não... não sabia... não sei qual é o seu carro.

Vicente estava com o rosto contraído, como uma máscara.

— Você está se sentindo mal?

— Não, fiquei um pouco tonto com o calor e aqui parecia agradável.

— É claro que não foi só o calor. O que mais você está sentindo? Foi alguma coisa que eu disse?

— Achei um sutiã debaixo da cama, as gavetas abertas, as caixas de remédio em cima da mesa... Agora as marcas no seu pescoço, seus braços...

Ele virou o rosto e ficou olhando para a copa das árvores.

— Vicente, não foi intencional. A culpa foi minha. Eu tentei te segurar quando a crise começou, você estava muito agitado, procurei conter sua agitação motora te fazendo deitar na cama, mas foi pior... Sabia que não devia fazer nada a não ser evitar que você se machucasse. Quem se machucou fui eu. Não se culpe, ficaram só umas manchinhas vermelhas, daqui a dois dias não tem mais nada.

Paula entrou no carro, abriu a porta do carona e disse a Vicente:

— Entra, está ameaçando chuva, vou te deixar em casa.

— Você se incomoda de terminarmos nosso almoço com mais prazer e alegria? — perguntou ele, já dentro do carro.

— Acho ótimo. Aonde você quer ir?

— Estava pensando naquele restaurante do Recreio dos Bandeirantes... que tem aqueles quartos anexos.

— Acho a proposta tentadora. Vamos, então.

O passeio até o Recreio dos Bandeirantes dissipou a tensão do almoço, que só foi concluído depois de chegarem ao restaurante. Tomaram duas garrafas de vinho, além do licor com que o garçom os presenteou. Dessa vez aceitaram o oferecimento de um quarto para aguardarem passar o efeito da bebida. Acordaram quando já estava anoitecendo. Vicente esperou escurecer por completo, ajudou a companheira a se vestir e a entrar no carro que fora estacionado junto à porta do quarto.

O apartamento estava silencioso, salvo pelo som repetido da torneira do chuveiro pingando. O céu, coberto de nuvens carregadas, escurecia ainda mais a noite. Vicente sentou-se ao computador e girou a cadeira de modo a ficar de frente para a janela à espera da chuva, que parecia iminente. Ainda ouvia o chuveiro pingar quando o trovão anunciou a chegada das primeiras gotas. Em poucos minutos era quase impossível vislumbrar o prédio defronte, tamanha a quantidade de água que caía. Vicente voltou a cadeira para a posição normal, ligou o computador e retomou a tradução dos contos de Poe.

7.

Anita saíra de casa de manhã com sol e voltara à noite completamente encharcada pela tempestade tropical que despencava sobre a cidade. Passou pela sala, deu uma rápida olhada para o prédio em frente e foi ao banheiro tirar a roupa e secar o cabelo. Ao passar pelo quarto da avó, viu que ela dormia serenamente em sua cama, assim como a acompanhante, sentada na poltrona. Depois de se enxugar e mudar de roupa, retornou à sala e deteve-se por instantes na janela antes de aquecer seu prato. A chuva perturbava um pouco a visão, mas mesmo assim dava para ver o interior do apartamento do tradutor. Tradutor ou escritor? Achava ter trocado uma coisa por outra sem que nada ou ninguém houvesse autorizado a troca. Sempre o chamara de "escritor", "tradutor" era novidade. Impressionava a imobilidade no interior daquele apartamento. Nada se movia lá dentro, nem mesmo o morador. Daí o espanto da visão de dias antes, quando apareceu uma mulher nua andando pela sala, para em seguida surgir o próprio escritor, ou tradutor, inteiramente nu. Nada mais surpreendente. Passados alguns dias, Anita achava que aquilo podia ter sido alucinação visual ou um sonho. Às vezes, na sua vigília noturna, cochilava, abatida pela monotonia da cena do escritor digitando no computador. A suposta cena de nudez poderia ter sido uma cena onírica e não um evento real, e o único meio de verificar se fora real ou imaginária era perguntar ao escritor.

Até aquele dia agira como uma bisbilhoteira sem preocupação com a realidade que se passava no interior daquele apartamento e com a pessoa do escritor. No entanto, continuava a bisbilhotar. Já era tempo de definir para si mesma a natureza do seu interesse, mas o problema era que ela própria não sabia por que fazia aquilo nem com que finalidade. Porém, no período em que estava ausente, trabalhando, ficava com a cabeça voltada para o que estaria acontecendo no apartamento do escritor e se perguntava quem seria a mulher nua. Tinha primeiro que procurar saber quem era ele, para depois se informar sobre quem era ela. Não se tratava de uma tarefa difícil nem perigosa, afinal de contas ele morava ali em frente, era só chegar, tocar a campainha e dizer: "Olá, meu nome é Anita...".

— Olá, meu nome é Anita, moro naquele apartamento em frente ao seu.

— Sim?

— Às vezes fico te olhando escrever e fico pensando o que você escreve... se é romance, poesia, ensaio...

— Tradução.

Anita ficou olhando para ele, sem dizer nada.

— Sou tradutor.

— Não tinha pensado nisso, ou melhor, pensei que você fosse romancista.

— Decepcionada?

— Não, surpresa.

— Eu também. Surpreso, mas não decepcionado.

— Não vai me convidar a entrar?

— Depende do que você veio procurar aqui. Parece que veio procurar um romancista e encontrou um tradutor. O que de fato está procurando?

— Outro dia...

— Sim?

— Outro dia vi da minha janela, acidentalmente é claro, uma cena de nudismo aqui na sua sala. Foi a única movimentação que percebi, além do seu interminável trabalho de digitação, durante todo este ano em que estou morando aqui. Sei que não é de minha conta, mas aquela cena realmente aconteceu ou eu cochilei na janela e sonhei?

— Por que você acha que devo responder?

— Não acho que *deva* responder, acho que *pode* responder.

— O que te interessou na cena: a movimentação dela à diferença da monotonia do meu trabalho ou a nudez das pessoas?

— As duas coisas. Ou as três.

— Três?

— A mulher. Eu nunca tinha visto nenhuma mulher aqui dentro. Como também nunca vi nenhum homem... quero dizer, nenhum outro homem.

— Como você disse que se chama?

— Anita.

— Anita, de onde você veio?

— Como assim?

— Você não é daqui do Rio.

— Santa Catarina... Florianópolis.

— Quantos anos você tem?

— Vinte e oito.

— Você não deve tocar a campainha da casa de um homem solteiro para perguntar o que ele faz dentro do seu próprio apartamento correndo nu atrás de uma mulher nua. Porque das duas uma: ou você não sabia o que ele estava fazendo e nesse caso você é de uma ingenuidade pré-infantil, ou você sabia exatamente o que ele estava fazendo e veio até aqui para ver se ele topa fazer o mesmo com você. Escolha uma das duas opções.

— Não era essa a minha intenção.

— Então volte para a sua casa e ligue a televisão, você vai ver coisas muito mais estranhas do que viu da janela.

— Pensei que os escritores fossem pessoas mais delicadas e generosas.

— Não sou escritor, sou tradutor, e até agora não fiz nenhuma grosseria com você...

— Bem, estou há algum tempo de pé na sua porta e você nem sequer me convidou a entrar.

— Não foi por grosseria... Foi por medo.

— Medo?

Vicente balançou a cabeça afirmativamente.

— Medo de mim?

Vicente balançou levemente a cabeça.

— Por que tem medo de mim?

— Porque você me parece perigosa.

Merda, não era o que ela havia planejado. Quer dizer, era o que ela havia planejado, mas não contava com ele não convidá-la a entrar... mesmo ela tendo insinuado... insinuado, não, forçado a entrada. Devia estar pensando que ela era maluca... ou débil mental. "Vi uma cena de nudismo na sua sala." Retardada. Não foi à toa que o cara perguntou de onde ela era. Disse que ela parecia perigosa. Claro, só uma pessoa perigosamente retardada toca a campainha da casa de um desconhecido para dizer aquele monte de babaquices.

Andou até a esquina para atravessar no sinal, refez a mesma distância na calçada oposta e entrou no seu prédio. Mal suportava a raiva que estava sentindo de si mesma. Sorte não ter ninguém no elevador. Não aturaria dizer nem boa-noite, quanto mais responder a um "como vai sua avó?". Entrou em casa e, ao passar pela janela da sala, não resistiu a olhar para o apartamento em frente. Estava completamente às escuras, nem mesmo a luz da tela do computador estava acesa, e não havia nem sinal do tradutor. Ele não podia ter descido ao mesmo tempo que ela, ainda que fosse pelo elevador de serviço, ela o teria visto sair pela porta da garagem ou o veria, do outro lado da rua, caminhando pela calçada. Além do mais, o computador estava ligado enquanto eles falavam um com o outro na porta do apartamento, e o abajur da sala estava aceso... Ele não teria tempo para apagar as luzes, desligar o computador, trocar de roupa (estava de bermuda, camiseta e havaianas) e sair ao mesmo tempo que ela. Ele podia ter se deitado para dormir. Mas era muito cedo para dormir, ele costumava ficar trabalhando até a meia-noite.

A não ser que ele não tivesse saído de casa... pelo simples fato de que não estava lá.

Talvez esteja aí o perigo, pensou Anita. Sempre fora dada a misturar sonho, fantasia e realidade. Era frequente não saber discernir com clareza se um determinado evento recente ocorrera realmente ou se se tratava de um acontecimento cujo cenário não ultrapassava os limites do sono. Sonho, vigília e fantasia se misturavam a ponto de ela não ser capaz de distinguir um do outro e da realidade. Agora mesmo, ela estava em dúvida se o encontro e a conversa com o escritor ou tradutor tinham acontecido de verdade ou se eram partes de uma fantasia dela... ou até mesmo frutos de um breve cochilo no peitoril da janela. O mesmo com a cena do professor e da mulher nua, ele correndo atrás dela pelo apartamento... Aliás, fora esse o motivo de ela ter tocado a campainha da casa do professor. "Olá, meu nome é Anita..."

8.

Segunda-feira, três e meia da tarde, Espinosa almoçava pataniscas na varanda do Pavão Azul, defronte à 12ª DP, quando viu o professor Vicente Fernandes vindo da rua Toneleros em direção à Barata Ribeiro. Provavelmente descera na estação Siqueira Campos do metrô e estava a caminho de casa. Andava como se nunca tivesse estado naquela rua e nunca tivesse entrado na delegacia em cuja porta passava naquele instante. Não que parecesse absorto em algum problema, cabeça baixa, rugas na testa... nada disso. Caminhava de cabeça erguida, olhos atentos aos transeuntes. Seguia pela calçada oposta à de Espinosa, rente à fachada da delegacia com sua entrada em arco encimada pelos dizeres 12ª DELEGACIA POLICIAL em destaque. Impossível não ver, sobretudo quando se tratava de alguém que estivera lá mais de uma vez para falar com o delegado. Espinosa permaneceu como estava. O professor não fizera menção de entrar na delegacia, tampouco pediu informação aos dois policiais que conversavam sob o arco de entrada. Ou seja, não estava à procura de auxílio policial.

Homem estranho. Viera à delegacia duas ou mais vezes à procura do delegado para confessar um homicídio que não se lembrava de ter cometido, tampouco sabia dizer quem era a vítima e muito menos onde estava o corpo; retornara para cobrar uma investigação e para acrescentar novos dados tão imaginários como os primeiros; e agora passava em frente à delegacia à sua esquerda e ao delegado à sua direita, e nem sequer se dava conta de um ou de outro. Estranha também sua postura e seu modo de andar quando não sabia que estava sendo observado por alguém conhecido. Ou saberia? Em lugar do recolhimento e da timidez na relação com o outro, um homem com postura altiva, passos largos e firmes, decidido quanto ao seu destino. Duas personas? Ou três, se incluirmos o hipotético e imaginário esquartejador suposto por ele próprio. Fazia quase um mês que o professor viera procurá-lo, torturado por imagens de uma mulher desmembrada que ele suspeitava ter sido sua vítima. O professor e o monstro, pensou Espinosa, não achando graça no que acabara de pensar.

Pela primeira vez considerara seriamente a possibilidade de a fantasia do professor ter um fundo de verdade. Claro que esse "fundo de verdade" poderia ter sido apenas o desejo, um dia, de desmembrar uma mulher, transformá-la num manequim de alfaiate, mas, de qualquer forma, o desejo seria forte o suficiente para, não tendo sido realizado objetivamente, ser realizado nos sonhos e nas alucinações visuais descritos por ele. O caso passaria a ser de sua alçada na hipótese de o professor decidir realizar a passagem da subjetividade da alucinação para a objetividade do ato. Nesse instante, Espinosa procurou o professor com o olhar, mas ele já tinha dobrado a esquina.

Terminado o almoço, atravessou a rua, entrou na delegacia e chamou ao seu gabinete o inspetor Chaves, o mais novo em idade e o que melhor lidava com a internet. Chaves tinha a palidez de quem fica mais tempo exposto à luz branca da tela do computador do que à luz do sol.

— Chamou, delegado?

— Sim. Você está com alguma tarefa te ocupando no momento?

— Nada que eu não possa interromper, delegado.

— Preciso do seu faro eletrônico para uma busca na internet.

O olho de Chaves brilhou e um quase imperceptível sorriso surgiu nos cantos da boca.

— O que o senhor quer que eu procure?

— Uma jovem em torno dos dezoito, vinte anos, de nome Fabiana. Não tenho o nome completo. Alta, cabelos encaracolados, foi aluna da Faculdade de Letras da Universidade Federal do Rio de Janeiro, formada há mais ou menos dez anos. Não tenho o endereço. Numa busca superficial, feita por telefone, não foi possível obter mais nenhuma informação sobre ela, nem mesmo saber se está viva. E este é o ponto central da busca: saber se ela está viva ou morta. Caso tenha morrido, qual a causa mortis.

Se Fabiana não fosse fruto do delírio do professor Vicente, o inspetor Chaves encontraria algum traço do caminho percorrido por ela depois de sair da universidade. Era o que Espinosa supunha, baseado em buscas realizadas com sucesso pelo inspetor. Ele próprio, Espinosa, havia tentado rastrear a trajetória da recém-formada, porém sem sucesso. Não conseguiu sequer ultrapassar a linha de partida, mas essa era a sua verdadeira posição no ranking dos pesquisadores da internet na delegacia.

O verão estava terminando, mas ainda fazia calor e as chuvas de final da estação eram frequentes. Chovera forte durante toda a tarde. Já era noite quando Espinosa aproveitou uma estiada e deixou a delegacia a caminho de casa. Morava no Bairro Peixoto, um minibairro no coração de Copacabana formado de duas quadras com uma praça no meio e cercado de morros. Dos trajetos possíveis, o que mais o agradava (embora fosse o mais longo) era o que passa pela Galeria Menescal, que liga a avenida Copacabana à rua Barata Ribeiro e desemboca diretamente na entrada do Bairro Peixoto pela rua Anita Garibaldi. A preferência pela galeria se devia ao fato de ela abrigar entre suas dezenas de lojas o pequeno restaurante árabe Baalbeck, onde ele se abastecia para o jantar. Aquele não era o lugar onde esperaria encontrar o professor Vicente Fernandes, mas era a segunda vez no mesmo dia que se deparava com ele. Na verdade, quase esbarrou nele quando saía do restaurante com seu embrulho de quibes e esfirras. O professor não o viu, ou fingiu que não viu, e continuou atravessando a galeria em direção à rua Barata Ribeiro. Parecia preocupado com alguma outra coisa ou com mais alguém além do delegado, olhava disfarçadamente para trás por sobre os ombros, sem diminuir o passo. O movimento na galeria àquela hora era intenso, Espinosa supôs que o professor não o vira entrar no restaurante e o perdera de vista, voltando atrás para procurá-lo, foi quando quase se esbarraram na porta árabe. Espinosa duvidava de coincidências como aquela, duvidava e não gostava. Como sua direção era a mesma da dele, acelerou o passo para ver qual a sua reação. Quando Vicente percebeu que o delegado quase o estava alcançando, acelerou ainda mais o passo e os dois saíram da galeria ao mesmo tempo, sendo que, enquanto Espinosa atravessava a rua em direção ao Bairro Peixoto, o professor dobrava à direita na Barata Ribeiro na direção do prédio onde morava, andando com a mesma pressa de antes, apesar de ter visto o delegado atravessar a rua e tomar outro caminho, o que deixou Espinosa ainda mais intrigado. Se Vicente Fernandes o estava seguindo, pensou Espinosa, por que continuou na mesma pressa mesmo depois de perceber que agora ele e o delegado andavam em direções opostas? Afinal, quem estava seguindo quem? Era Vicente Fernandes que o seguia ou Vicente Fernandes estava sendo seguido por uma terceira pessoa, daí sua pressa assustada? Havia uma terceira pessoa não percebida por ele, Espinosa?

Entrou em casa pensando nesse terceiro personagem invisível, continuou pensando enquanto tomava banho, parou de pensar depois da primeira dentada num quibe e do primeiro gole da cerveja gelada.

Mais tarde, sentado na sua poltrona de leitura, voltou a se perguntar quem estaria seguindo o professor e por que motivo. Pelo que ele lhe contara nas visitas à delegacia, levava uma vida de reclusão voluntária, não tinha amigos e muito menos inimigos. Não havia por que estar sendo seguido, se é que estava; e, caso não estivesse, por que teria escolhido aquela hora e aquele tempo inóspito para passear, já que não carregava nenhum embrulho que sugerisse uma compra repentina em noite chuvosa. Mesmo levando-se em conta que a chuva cessara havia meia hora, as ruas e calçadas estavam molhadas e poderia tornar a chover a qualquer momento. O professor Vicente estava no lugar inadequado (na galeria não havia farmácia nem padaria nem supermercado) e numa hora imprópria para passeios, além de parecer muito assustado.

Espinosa tinha escolhido um livro para ler naquela noite, e a ele já acrescentara mais dois. Não que pretendesse ler três livros numa só noite, mas por pura incerteza; não também por não ser capaz de se decidir por um deles, mas por não ser capaz de descobrir por que o professor Vicente estava seguindo (a ele, Espinosa) e sendo seguido (Espinosa não sabia por quem) ao mesmo tempo, e por que a descoberta da segunda situação o deixara tão assustado. Como não teria resposta para essas perguntas naquela noite, escolheu, dentre os três livros, *A trégua*, de Primo Levi. Não conseguiu dormir antes das três da madrugada.

Na manhã seguinte, chegou à delegacia faltando dez minutos para as nove horas e encontrou um aviso de que o professor Vicente Fernandes havia ligado às sete e cinquenta. Deve ter acordado várias vezes antes de o dia clarear e decidiu telefonar às oito horas, mas não conseguiu suportar a ansiedade dos últimos dez minutos de espera, pensou Espinosa. Às nove em ponto, tornou a ligar. O delegado ainda estava subindo a escada para o segundo pavimento, e mandou a atendente transferir a ligação para a sua mesa.

— Bom dia, professor Vicente.

— Bom dia, delegado Espinosa. Desculpe por telefonar tão cedo hoje pela manhã.

— A delegacia não fecha, professor, pode ligar a qualquer hora. O senhor passou bem a noite?

— Sim, obrigado... Quer dizer, não muito bem, tive que sair ontem antes de dormir para comprar meu remédio que tinha acabado... Por isso nem parei para falar com o senhor. Estava com pressa, tinha medo que a farmácia fechasse.

— E a encontrou aberta?

— Sim, felizmente.

— Fiquei um pouco preocupado porque o achei aflito, como se estivesse sendo seguido por alguém indesejável — acrescentou Espinosa.

— E o senhor acertou — respondeu Vicente, a voz um tom acima.

— Tinha realmente alguém te seguindo? — Espinosa subiu ligeiramente o tom.

— Sempre tem, não é, delegado? Principalmente à noite. Com chuva. Muita gente.

— Quando o senhor sai à rua, é sempre seguido por alguém? — insistiu Espinosa.

— Com tanta gente na rua, delegado, é difícil saber quem está nos seguindo...

— É verdade, sobretudo numa noite chuvosa.

— Por isso eu estava aflito e entrei na Galeria Menescal.

— E esse é o motivo do seu telefonema?

— Sim. Eu precisava esclarecer o motivo de eu estar aflito.

— E é comum o senhor ficar aflito porque tem alguém te seguindo?

— Só quando realmente tem alguém me seguindo.

— Sim, claro. E o senhor acha que ontem à noite tinha realmente alguém te seguindo?

— Isso é o que não sei dizer, delegado. Tinha muita gente na rua.

— É verdade. De fato tinha muita gente.

— É bom poder contar com sua compreensão, delegado.

— Sempre que sentir necessidade, professor, pode ligar para a delegacia ou diretamente para mim. Deixei meus números com o senhor.

— Deixou... realmente... Muito obrigado. Bom dia, delegado.

— Bom dia, professor.

E Espinosa ficou pensando se era um caso de loucura ou de bem urdida estratégia de defesa elaborada por Vicente para quando fosse surpreendido em plena atuação.

Levantou-se, acendeu a luz do gabinete, ligou para o balcão de atendimento e perguntou se os inspetores Welber e Ramiro estavam na delegacia, e iniciou o computador. Antes de aparecer na tela a página de abertura do site da Polícia Civil, os inspetores Welber e Ramiro chegaram à porta da sua sala.

— Bom dia, delegado.

— Bom dia, entrem.

— Estão lembrados daquele professor que veio duas vezes falar comigo sobre umas visões que tinha com corpos de mulheres desmembrados?

— Professor Vicente — disse Welber.

— Vicente Fernandes — completou Ramiro. — Mora a duas quadras daqui.

— Está na hora de ficarmos atentos a ele. Quando uma pessoa que tínhamos visto apenas uma vez começa a se fazer presente duas, três, quatro vezes no intervalo de poucas semanas, é porque está fazendo sua entrada em cena. Ontem à noite topei com ele depois da chuva, quando voltava para casa. Hoje de manhã ele telefonou duas vezes, às oito e às nove horas, para me contar que ontem à noite estava sendo seguido, e, quando perguntei quem o estava seguindo, respondeu que não sabia dizer porque havia muita gente na rua, fazendo-se de louco para eu não pensar que ele é que estava me seguindo. Isso, tendo passado em frente à delegacia no momento em que eu almoçava sozinho no Pavão Azul. Passou sem olhar nem para mim nem para a delegacia, impávido, como se nada tivesse a ver com um ou com outra. Tenho tentado entender qual é o jogo dele, se é que tem algum, ou se é mesmo maluco. A mim, incomoda a história repetitiva de visões com corpos de mulheres mortas que ele associa a uma lista de nomes que tem numa caderneta. Sendo que ele não sabe dizer quem são ou quem eram essas mulheres das quais tem apenas os nomes.

— O que o senhor quer que façamos?

— Pedi ao Chaves que fizesse um levantamento na internet sobre mulheres de aproximadamente vinte anos desaparecidas a partir do ano 2000. Caso ele encontre alguma coisa, quero que vocês, ou o que estiver menos ocupado, inicie uma investigação preliminar e me mantenha informado. Não posso utilizar três inspetores experientes na investigação de um caso que não existe e do qual não há sequer um registro de ocorrência na delegacia. Mas ao mesmo tempo algo me diz que pode acontecer alguma coisa séria envolvendo o professor e a professora.

— Qual professora? — perguntou Ramiro.

— A amiga do professor Vicente.

— De qual dos dois o senhor suspeita?

— Ele é portador de uma doença neurológica chamada síndrome de Korsakov, cujo sintoma mais sério é a amnésia, que pode causar lacunas de memória a ponto do portador da síndrome perder sua própria história pessoal. Uma das formas da pessoa lidar com essa perda é preencher as lacunas criando histórias fictícias (mas que ela considera verdadeiras) ou criando situações reais que confirmem as ficções imaginadas por ela. O professor Vicente está convencido (ou pretende se convencer) de que a imagem repetitiva do corpo desmembrado de uma mulher que lhe aflora à memória é o corpo de uma mulher morta por ele há cerca de dez anos, quando era professor de literatura da Universidade Federal do Rio de Janeiro. Não há nenhum indício material ou testemunhal que corrobore a suspeita dele. Eu não tenho nenhuma suspeita específica, mas eu suspeito dele em geral.

— Da pessoa dele?

— Mais ou menos isso. A história da síndrome de Korsakov até agora não foi confirmada por ninguém. Ele tem diferentes máscaras com diferentes falas... como se não fosse uma pessoa, mas diferentes personagens em diferentes cenas... Talvez seja isso a síndrome de Korsakov de que ele diz ser portador; talvez seja loucura. Por outro lado, ele é um tradutor conceituado, traduz do francês e do inglês para duas grandes editoras. Isso não combina com minha concepção do que seja a loucura. Então, enquanto Chaves faz a busca na internet, procurem saber no prédio onde mora o professor, da forma mais discreta possível, o que o síndico e os porteiros sabem sobre as crises dele, como ele se comporta com os vizinhos e com os empregados do prédio. Aqui está o endereço. Depois, procurem nas farmácias da vizinhança, em qual delas ele compra a medicação que usa e qual é essa medicação. Procurem também o endereço e o telefone dessa professora amiga dele, professora da Faculdade de Letras da UFRJ, chamada Maria Paula, não sei o sobrenome, acho que ela ensina literatura comparada. Essa busca tem que ser feita sem que ela e o professor Vicente saibam.

Na hora do almoço Espinosa passou em frente ao prédio do professor. Realmente ficava perto o bastante da delegacia para seu morador ser visto com frequência nas cercanias. Era um prédio de classe média, com entrada de garagem e portaria pequena, gradeada como uma gaiola, que avançava um metro sobre a calçada. Os apartamentos deviam ser de no máximo sala e dois quartos. Não havia luxo, a não ser a proximidade da praia de Copacabana, a duas quadras dali. O fato de Vicente não ser visto com mais constância podia se dever a um modo de vida de recolhimento e poucas saídas para compras essenciais, como ele mesmo relatara na delegacia. O que intrigava Espinosa eram o limite e a natureza desse recolhimento. Loucura ou culpa? O que ele achava incrível era que o professor Vicente e ele tivessem convivido durante mais de uma década numa área formada por três quadras limitadas pela 12ª DP, pela Galeria Menescal e pelo Bairro Peixoto e nunca houvessem se encontrado ou mesmo se visto, e agora os encontros tivessem se dado de forma tão estranha e tão repetidamente. Espinosa estava inclinado a considerar que os encontros casuais do dia não tinham sido casuais. No primeiro, Vicente estava avaliando como o delegado reagiria à passagem dele em frente ao seu ponto de almoço e à delegacia; no segundo, Vicente estava seguindo o delegado para verificar onde ele morava. Nenhum dos dois havia sido casual. Tampouco fora casual o fato de o professor estar sendo seguido, como o seu comportamento sugeria.

Quando retornou do almoço, Chaves o esperava com um maço de folhas contendo uma lista de nomes.

— Delegado, o número de desaparecidos no Rio de Janeiro ultrapassa cinco mil por ano. Em quatro anos, o total chega a vinte mil. Separei as mulheres entre dezoito e vinte e oito anos, universitárias, que foram encontradas, vivas ou mortas. Mesmo assim, restaram mais de mil das quais não se tem nenhuma notícia. Isso não quer dizer que estejam mortas. Muitas podem ter fugido de casa e se mudado para outro estado, outras podem ter mudado de nome ou podem ter constituído nova família, sendo que quem desaparece de moto próprio não tem interesse em ser encontrado. Aquela que desapareceu porque foi morta, já teve seu corpo destruído pelo tempo ou pelo criminoso. O fato é que vai ser quase impossível localizar uma moça cujo nome não sabemos e da qual não temos sequer uma fotografia. Mas vou continuar procurando.

9.

A conversa telefônica pela manhã com o delegado Espinosa tranquilizara Vicente. Não importava se o delegado acreditava ou não no que ele dizia, embora ele contasse com o crédito do delegado e de sua equipe. Além do mais, eles realmente tinham se encontrado na galeria e era de noite, e estava chovendo. O que ele não sabia ao certo era se de fato alguém o seguia pela rua e galeria adentro. Era verdade que saíra para comprar remédio, comprimidos para dor de cabeça, apenas. Era também verdade que havia uma pessoa, uma mulher, achava ele, que o seguira desde que saíra do prédio. Não podia garantir que era a mesma pessoa, porque ela usava guarda-chuva e quase todo mundo estava usando guarda-chuva, e o guarda-chuva esconde a cabeça da pessoa. Ele entrara na galeria para despistá-la, mas ela não se deixou enganar e entrou atrás dele, ela perdera alguns segundos tentando fechar o guarda-chuva, foi quando ele aproveitou para entrar no árabe na esperança de que ela o perdesse de vista e passasse direto. Foi nesse exato momento que ele deu de frente com o delegado Espinosa. Agora estava sem saber se não seria o delegado que estava a segui-lo. Mas o delegado não usava guarda-chuva. De volta ao apartamento, tomara meio copo de leite e ingerira o comprimido. Afinal, fora por causa dele que saíra à rua. A perseguição e o encontro súbito com o delegado aumentaram a dor, mas a tranquilidade do apartamento e a retomada da tradução após a ingestão do analgésico o reconduziriam ao seu estado normal. Passava um pouco das nove, trabalharia mais duas horas antes de se recolher ao quarto de dormir.

No prédio em frente, na única janela acesa, com a parte de vidro aberta pela metade por causa da chuva, a silhueta de uma mulher se destacava. Vicente tinha uma vaga ideia de já ter visto aquela cena. Era o mesmo apartamento, mas não saberia dizer se era a mesma mulher.

Na manhã seguinte acordou sentindo-se desconfortável. Durante a noite, acordara algumas vezes por causa de imagens da mulher desmembrada que surgiram sem se misturar com os sonhos. As imagens não surgiram e ele acordou; ele acordou e as imagens surgiram. Como se houvesse um acordo interno quanto ao que era sonho, devaneio ou lembrança e o que era delírio. Se é que era de delírio que se tratava. Por precaução, tomou anticonvulsivante após o café da manhã. O tempo continuava chuvoso e a temperatura caíra bastante, a ponto de ele se sentir obrigado a regular o ar-condicionado, sempre ligado, de "máximo" para "mínimo". Fazia uma semana que não via Paula nem falava com ela. Curioso que o surgimento das imagens da mulher morta o remetessem de imediato a Paula, como se uma fosse a representação da outra, e sem que houvesse nenhuma conexão causal entre elas. Esperou durante todo o dia um telefonema de Paula combinando um almoço para o dia seguinte, quinta-feira, quando ela dava aula no campus da praia Vermelha. Mas não houve nenhum telefonema dela.

Na quinta, acordou na expectativa de ela ainda ligar, mas, tal como na véspera, Paula não ligou. Tentou falar com ela na universidade, mas a resposta foi que a professora Paula estava de licença para tratamento de saúde. E ele continuava sem o telefone da casa dela. Tentou, via internet, encontrar seu endereço, mas constava apenas o da universidade. Nada mais havia a fazer a não ser esperar que ela própria telefonasse, caso estivesse em condições de fazê-lo.

A partir de então adquiriu o hábito de verificar se a mulher do apartamento em frente continuava a espreitar seu apartamento da janela. Naquele mesmo dia, ela deu uma rápida olhada, como que conferindo se estava tudo como na véspera; à noite, depois de ele e provavelmente ela também jantarem, ela assumiu seu posto de observação, agora sem a menor preocupação de ser notada. No dia seguinte, sexta, o mesmo ritual: curto período de observação pela manhã e todo o período da noite. Ela parecia estar à espera de algum acontecimento extraordinário envolvendo o escritor, e não queria perder a oportunidade de ser a testemunha ocular do que estaria para acontecer. No sábado e no domingo, ampliava o tempo de observação incluindo idas ocasionais à janela para verificar se estava tudo em ordem no apartamento do vizinho fronteiro.

A vigilância era sistemática, mas obedecia a horários: final da manhã e à noite; na parte da tarde, só nos sábados e domingos, o que indicava que ela trabalhava à tarde. Não que isso tivesse alguma importância para Vicente. Talvez tivesse para ela. Mesmo assim, ele não entendia qual o interesse da mulher em vigiar um homem que ela não conhecia e que não era uma pessoa famosa capaz de despertar a curiosidade de uma jornalista, por exemplo. A não ser que a mulher fosse uma neurótica voyeuse que passasse todo o seu tempo livre espiando os vizinhos, uma atividade como outra qualquer e nem sempre imoral ou ilícita.

Na segunda-feira voltou a ligar para a universidade, mas a resposta que obteve foi a mesma. Aquilo não combinava com a personalidade de Paula. Ela não era dada a subterfúgios e fugas para não enfrentar um problema. Caso fosse alguma coisa com ele, ela falaria abertamente, sem ocultar o motivo e sem fugir ao confronto. Portanto, o problema não era com ele. E ele não tinha a menor ideia de quem ou o que seria o problema.

Retomou os contos de Edgar Allan Poe. Trabalhou sem parar até as duas da tarde. Levantou-se, foi e voltou da porta à janela algumas vezes, fez um exercício de correção postural e verificou o conteúdo da geladeira. Nas vezes em que foi até a janela não deixou de prestar atenção se havia alguém na janela do prédio em frente, coisa que até então nunca fizera. A mesma verificação foi feita antes de ele sair à rua para almoçar. Pegou o pedaço de papel onde anotara "leite, queijo de minas, pão preto, café" e enfiou no bolso da calça. Ainda tinha um estoque de geleia trazido por Paula e alguns frios. Almoçaria no restaurante do outro lado da rua e depois passaria no supermercado.

Mas não foi o que aconteceu, ou pelo menos não inteiramente. Ele conseguiu almoçar parte do seu frango assado, e já mandara colocar numa quentinha o que restara, quando viu ou pensou ter visto Paula passar na calçada oposta. Ficou alguns segundos sem saber o que fazer, se levantava e corria atrás dela, se esperava o garçom embrulhar a quentinha, se pedia a nota e pagava a conta, e, quando se decidiu pela primeira opção, sair correndo atrás dela, Paula havia sumido. Foi até a esquina, mas ela realmente desaparecera na multidão. Provavelmente, enquanto ele almoçava, ela resolvera passar no apartamento dele. Como ninguém respondesse ao toque da campainha, ela foi embora. A menos que ele estivesse enganado e a pessoa que viu passando no outro lado da rua não fosse Paula.

Voltou ao restaurante, pagou a conta e saiu carregando a quentinha com a outra metade do frango que sobrara, farofa e algumas batatas fritas. Passou no supermercado, comprou o que havia anotado e voltou para casa, na expectativa de Paula retornar e tocar a campainha. O que não aconteceu.

Sem saber o que acabara de ocorrer horas antes na rua, Anita observava serena da sua janela a cena que se repetia rigorosamente igual, noite após noite, na sala do tradutor... Cena que em nada combinava com a que presenciara alguns dias antes, o sátiro correndo atrás da ninfa. O escritor parecia tranquilo apesar de ter se levantado e caminhado até a porta duas vezes.

Talvez estivesse esperando alguém que demorava a chegar. Anita imaginava as mais variadas situações que teriam lugar caso numa dessas idas à porta o escritor a abrisse e entrasse uma mulher. Podia ser a mesma que ela vira na cena de nudez; podia ser outra, diferente fisicamente mas igualmente desinibida; poderia, ainda, ser uma perversa sexual, embora ela não soubesse precisamente como identificar uma perversa sexual; poderiam surgir duas mulheres; enfim, as possibilidades eram atraentes, e ela chegou a pensar até que uma das duas mulheres pudesse ser ela. De sua janela podia espreitar a chegada de uma delas e descer de imediato, atravessar a rua, subir ao andar do escritor e tocar a campainha, como se fosse mais uma a participar do encontro. Passou-se quase uma hora sem que houvesse alteração na sala. Por volta das oito e meia, o escritor levantou--se pela terceira vez e foi atender a porta. Era uma mulher e parecia ser a que estivera com ele na noite da nudez. A recepção foi calorosa. Caso chegasse mais uma, seria a ocasião adequada para ela também comparecer ao encontro. Menos de quinze minutos depois Anita viu da sua janela no décimo primeiro andar uma mulher tocar a campainha do prédio e o porteiro abrir o portão gradeado. Daquela distância, parecia jovem e bonita, além de vestida para um encontro íntimo, ainda que uma mulher já se encontrasse no apartamento do escritor. Ele dissera que não era escritor, mas tradutor, o que não fazia muita diferença, passava o dia inteiro escrevendo, então era escritor. Já estava preparada para aquele momento. Pegou a bolsa que estava ao lado, deu uma geral no grande espelho da sala, passou no quarto da avó que via televisão, e saiu deixando a luz da sala acesa para servir de referência. Não houve dificuldade para entrar no prédio, bastou apontar para cima e dizer "décimo andar... o professor", inventou essa de "professor", quem é tradutor e escritor é também professor. Anita estava nervosa, não sabia como seria recebida, mas esperava que dessa vez ele a convidasse a entrar. Teve de tocar a campainha duas vezes. O professor abriu a porta e segurou-a, bloqueando a passagem;

ficou olhando para ela sem entender. Anita, ao mesmo tempo que olhava para o interior do apartamento tentando ver onde e como estavam as mulheres, foi obrigada a dizer alguma coisa.

— Não está me reconhecendo?

— Não. Desculpe. Como você se chama? De onde nos conhecemos?

— Daqui mesmo... Meu nome é Anita, já estive aqui uma vez. Não vai me convidar a entrar para me juntar às outras?

— Que outras?

— As duas mulheres que entraram aqui.

— Não entrou mulher nenhuma aqui. Estou sozinho, trabalhando, não sei a quais mulheres você se refere. E não me lembro de você ter estado aqui antes. Você deve ter tocado a campainha do apartamento errado. Agora, com licença, preciso trabalhar.

Anita ainda ouviu o barulho da corrente de segurança trancando a porta. Esperou algum tempo para ver se escutava voz de mulher ou o professor falando com alguém, mas ouviu apenas o silêncio reinante no andar, seguido do ruído do elevador. Deu meia-volta, chamou o elevador, desceu ainda não acreditando no que o professor acabara de dizer, atravessou a rua e subiu para o seu apartamento. A primeira coisa que fez ao entrar foi ir à janela e olhar para o apartamento em frente. Viu apenas o professor sentado ao computador, digitando. A única luz acesa era a do abajur ao lado do computador e não havia mulher nenhuma à vista. Ainda tinha, a tiracolo, a bolsa com que saíra; conferiu o sapato e o vestido; não havia dúvida, ela de fato estava vestida tal como saíra para tocar a campainha do apartamento do professor, e tal como estava ao chegar em casa vinda do trabalho, a chave de casa estava na bolsa juntamente com a carteira e itens de maquiagem. Ela de fato estivera com o professor minutos antes, não fazia o menor sentido ela estar com a bolsa pendurada no ombro apenas para ficar olhando pela janela... A menos que estivesse de prontidão para sair e ainda não tivesse saído. Olhou o relógio: nove horas. Teria dado tempo. Já estava vestida quando decidiu ir ao apartamento do professor, foi só passar uma escova no cabelo, trocar de sapato, pegar a bolsa, descer, atravessar a rua, entrar no prédio dele, subir até o décimo andar e tocar a campainha do apartamento 1001; o diálogo com o professor não durara mais de quinze minutos; mais a volta... trinta minutos daria tempo para tudo. O episódio da pretensa visita ao professor poderia ter acontecido. Restava saber o que ele fizera com as duas mulheres que ela vira de sua janela. Na verdade, ela não vira duas mulheres, vira uma só, e mesmo assim a mulher não estava dentro do apartamento, mas na porta de entrada, sendo cumprimentada com um abraço pelo professor; a outra mulher ela vira apenas entrar no prédio e não no apartamento dele. Ou seja, não havia nenhum mistério quanto ao que ele fizera com as duas mulheres, porque elas não estavam com ele.

10.

Vicente acordou na manhã seguinte com enjoo e forte dor de cabeça acompanhada das imagens da mulher desmembrada. Tentou se levantar, mas não conseguiu, arrastou-se até o banheiro, sentou-se ao lado do vaso e esperou o vômito, que várias vezes ameaçou acontecer mas não veio, só fez aumentar a dor de cabeça. Conseguiu ficar de pé e procurou no armarinho do banheiro um analgésico e o remédio que tomava regularmente para a doença. Deitou-se no sofá da sala, colocou a máscara protetora contra claridade e permaneceu imóvel à espera da melhora. Dormiu até quase meio-dia. A dor de cabeça tinha passado, o enjoo se transformara em azia e a quantidade das imagens havia diminuído. Ele tinha tomado os remédios em jejum desde o almoço do dia anterior, no fim do qual vira Paula passar na calçada oposta. Preparou dois sanduíches de queijo com presunto que comeu acompanhados de dois copos de leite. Inútil tentar trabalhar, não conseguiria a concentração e a continuidade necessárias. Voltou a se deitar no sofá e esperou. Como não sabia o que estava esperando, não podia chamar aquilo de espera, seria quando muito um vago sentimento de espera. No entanto, não fazia grande diferença, o conteúdo podia ser vago, mas a intensidade era a mesma. Cochilou várias vezes. No final da tarde, já quase escurecendo, conseguiu se levantar e tomar banho. Às sete horas estava sentado ao computador digitando a tradução dos contos de Poe. Aquilo não o cansava, ao contrário, ele se sentia descansado e descontraído até o momento em que o corpo, quase sempre a coluna, começava a dar sinais de que era chegada a hora de um pequeno intervalo, no qual ele se levantaria e faria alguns exercícios de correção postural. A mulher já tinha assumido seu posto de vigia na janela da sala do prédio em frente.

Anita acabara de chegar do trabalho e viu seu objeto de observação fazendo o que parecia uma ginástica oriental ou um ritual religioso. O surpreendente era que ele não estava digitando (embora ela conseguisse ver o brilho da tela, o que indicava que ele talvez estivesse fazendo um intervalo ritual). Ela gostaria de saber qual autor e qual livro ele estava traduzindo.

Vicente gostaria de saber qual o interesse daquela mulher em observá-lo dia após dia, nos mesmos horários, como se fosse paga por alguma instituição para vigiá-lo, embora não atinasse com o motivo nem com o objetivo dessa vigilância, a não ser que se tratasse realmente de um caso de voyeurismo como havia suposto antes, já que não se conheciam e nunca tinham se visto a não ser àquela distância. Terminado seu exercício, que durara poucos minutos, retomou a tradução e se esqueceu completamente da voyeuse; trabalhou sem parar até perto da meia-noite.

Os inspetores Welber e Ramiro levaram ao delegado Espinosa o resultado do levantamento, feito com os porteiros, síndico e moradores do prédio em que vivia Vicente Fernandes, sobre os hábitos e comportamento do professor.

— Demoramos um pouco mais do que esperávamos porque a maioria dos moradores passa o dia inteiro fora de casa, chegando à noite, o que dificulta o contato. Mas o que conseguimos saber é que o professor é um morador estimado pelos vizinhos, atencioso com os porteiros e empregados do prédio, não incomoda ninguém, é silencioso e raramente recebe visitas. O síndico e os porteiros sabem que ele tem uma doença neurológica e que ocasionalmente pode ter uma crise acompanhada de perda de consciência. Mas o professor entregou ao síndico e aos porteiros os telefones dos atendimentos de emergência e instruções sobre como proceder caso sejam eles os primeiros a chegar. Ele nunca deixa a porta do apartamento trancada, porque não sabe quando vai ter a crise, e pode acontecer de não ter tempo de ligar para a portaria. As crises são fortes, mas não são violentas, ele não machuca ninguém nem resiste a ser protegido pelos que o atendem contra ferimentos que possa cometer contra si próprio. Ele não fala espontaneamente com ninguém, mas, se falam com ele, responde com delicadeza. Passa o dia inteiro no computador fazendo traduções e só sai de casa para fazer as refeições no restaurante do outro lado da rua.

— Ou seja, não tem o perfil de esquartejador de mulheres — disse Espinosa.

— Não mesmo, delegado. Parece um solitário que não faz mal a ninguém.

— Tenho receio desses solitários. Vocês conseguiram saber alguma coisa na universidade?

— Apenas o que o professor Vicente havia contado. Antes de ser aposentado por invalidez, ele era colega e amigo de uma professora cujo nome era Paula. Isso, há mais de dez anos. Parece que ela continua na universidade, mas que, pouco tempo depois do professor Vicente ser aposentado, ela pediu transferência para outro departamento.

— Vocês conseguiram falar com ela?

— Não. Ela foi transferida, não está mais na Faculdade de Letras. Soubemos por vias não oficiais que ela foi casada duas vezes e não teve filhos. No departamento onde ela está lotada, conseguimos saber apenas que ela está ausente.

— O que significa esse "ausente"?

— Isso é que não está claro, delegado. Ela não está doente, não está de licença, nem está participando de nenhum evento universitário fora da cidade. Nem a reitoria nem a secretaria da faculdade souberam dizer por quê, mas ela está ausente há quase duas semanas. Eles temem que ela tenha sofrido um acidente e esteja hospitalizada sem poder se comunicar.

— Já entraram em contato com a família ou com alguém da casa dela?

— A família dela não é daqui do Rio e o endereço que eles têm é antigo.

— Ela desapareceu, é isso que quer dizer o "ausente"?

— Acredito que sim, delegado... Se considerarmos essas duas semanas... O estranho é ninguém ter reclamado da ausência dela.

— Nove e meia, vamos ver o que o professor Vicente tem a dizer. Afinal, ele disse que eram amigos, "quase namorados", seja lá o que isso signifique.

Espinosa procurou o número do telefone e ligou em seguida.

Vicente começou a trabalhar cedo para compensar o pouco que fizera na véspera, e estava trabalhando quando o telefone tocou às nove e meia. Os telefonemas nas manhãs de quarta eram coisa de Paula, sempre marcando um encontro para o dia seguinte. Ele atendeu alegremente.

— Professor Vicente?

— Sim.

— Bom dia. É o delegado Espinosa falando. Espero não estar ligando muito cedo.

— Bom dia, delegado, nenhum problema. Já estava trabalhando desde as sete. Alguma novidade?

— Estou precisando entrar em contato com a professora Paula, mas não consigo encontrá-la na universidade e não disponho do telefone da casa dela.

— Delegado, eu também estou tentando falar com ela faz duas semanas e não consigo. Tenho ligado para a Faculdade de

Letras quase todos os dias e eles me dão respostas vagas ou então dizem que não podem dar informações sobre os professores.

— O senhor não tem o telefone da casa dela?

— Pensei que tivesse, mas não tenho. Ela mesma escreveu o número do telefone num guardanapo de papel e me deu no dia em que almoçamos num dos restaurantes da universidade, mas, quando liguei, diziam que eu havia me enganado. Liguei para todos os números próximos daquele, mas não tive sucesso. Com isso, fiquei sem meio de falar com ela.

— Você está a par da transferência dela para outro departamento da universidade?

— Não, delegado, ela não me disse nada sobre isso. Mas não é raro os professores pedirem transferência de departamento.

— Mas não houve nenhum atrito entre vocês, suponho.

— Nenhum, delegado. Não brigamos nem discutimos nem houve nada que justificasse esse afastamento.

— Lamento, professor. Caso o senhor consiga algum contato com ela, por favor, me comunique.

— Certamente, delegado.

Somente depois que desligaram Vicente se deu conta de não ter perguntado ao delegado o que ele queria com Paula. Para ele, o delegado nem sabia da sua existência. Ou sabia. Vicente não lembrava se na conversa que tiveram na delegacia ele mencionara o nome de Paula.

Espinosa não sabia se acreditava naquilo que o professor dissera sobre Paula. Mas também não tinha por que não acreditar na palavra dele, a não ser pelo fato de ele ter atendido alegremente à chamada telefônica às nove e meia da manhã. Para uma pessoa que trabalha diariamente até altas horas da noite e que não tem obrigação de sair para trabalhar toda manhã, isso pode ser uma perturbação do sono. Mas o professor atendeu como se estivesse esperando um telefonema amoroso. Voltou a ligar para Vicente, que já não atendeu com o mesmo espírito.

— Professor Vicente, é o delegado Espinosa. Desculpe ligar novamente, mas me esqueci de fazer a pergunta mais importante: o senhor pode me fornecer o endereço da professora Paula?

— Lamento mais uma vez, delegado, mas, desde que ela se mudou do endereço antigo, nós tomamos rumos diferentes e não nos falamos mais. Ainda não perguntei onde ela está morando e ela não me forneceu espontaneamente seu novo endereço. Paula e eu voltamos a nos falar há menos de um mês... depois de dez anos de afastamento.

— Compreendo. De qualquer maneira, fica o mesmo pedido: caso o senhor obtenha o endereço...

— Fique tranquilo, delegado, o senhor será comunicado imediatamente.

No entanto, o delegado Espinosa não tinha comunicado que já estava em campo, pensou Vicente. Ninguém fazia todas aquelas perguntas a um suspeito e talvez único suspeito de que dispunha, a menos que não pudesse contar com mais ninguém para fazer perguntas. Pelo interesse e pelo modo de perguntar, o delegado Espinosa tinha dado início à investigação e não dissera nada a ele, como haviam combinado, e agora pedia colaboração. Tudo o que tinha de material lhe fora entregue de livre e espontânea vontade. Era fundamental que houvesse reciprocidade, caso contrário o delegado não chegaria a nada, pelo simples fato de não saber sequer onde estava, e o delegado estava no lugar da ignorância e ele não era um animal farejador para sair em campo farejando tudo, ele era um ser pensante, seu ponto de partida tinha de ser o pensamento, a razão, e não o focinho.

Welber e Ramiro olhavam para o delegado, que por sua vez olhava para eles como se pudessem ler o pensamento uns dos outros. Finalmente, o delegado acordou:

— Ele não sabe de nada. Apesar de se dizer "quase namorado" de Paula, não sabe onde ela está, diz que está tentando falar com ela há quinze dias, que ela não telefona, que não tem o telefone dela nem o endereço... ou seja, ela sabe tudo dele e ele não sabe nada dela. Talvez venha daí o "quase" namorado.

— O senhor acha que ela não é namorada dele? — perguntou Ramiro.

— Ainda não sei sequer se ela existe — respondeu o delegado.

— Mas nós telefonamos para a universidade e eles confirmaram que a professora Ana Paula faz parte do corpo docente, só que ela está ausente há duas semanas.

— Eu não estou duvidando que exista uma professora chamada Ana Paula na Universidade Federal do Rio de Janeiro, o que estou pondo em dúvida é que a "quase namorada" do professor Vicente seja essa professora Paula ou qualquer outra Paula real. Não se esqueçam de que ele chegou aqui confessando que esquartejou uma mulher há mais de dez anos, mas não sabia dizer quem era a mulher, como ela foi esquartejada, o que foi feito do corpo... e se despediu solicitando que investigássemos o crime. Quanto a Paula, a verdade é que ninguém viu os dois juntos.

— Tudo indica que Vicente não tem amigos nem amigas. Os porteiros do prédio dizem que se passam meses sem que ninguém o visite. A última pessoa que entrou no apartamento dele foi o técnico em computadores, e isso já faz alguns meses — disse Ramiro.

— Tem também a história da cadeira de rodas — acrescentou Welber.

— Que cadeira de rodas? — perguntou Espinosa.

— Encontraram uma cadeira de rodas no quarto de guardados no terraço do prédio, e colada na cadeira havia uma etiqueta com o nome do professor e o número do apartamento. Parece que ele ficou perturbado quando soube dessa cadeira, e só se convenceu que era dele quando viu a etiqueta, disse o porteiro. Foi ele que a pedido do professor limpou a cadeira e encheu os pneus. A cadeira estava no quarto de guardados fazia dez anos.

— E quem usava a cadeira? — indagou Espinosa.

— Ninguém. Quer dizer, só podia ser o professor, não havia mais ninguém morando com ele... isso, desde que se mudou para lá... Foi o que nos disseram o síndico e os porteiros.

— Ele não é paralítico nem nunca foi. O que ele tem é um distúrbio neurológico que, pelo que li na internet, não exige do paciente uso de cadeira de rodas. Se conservou durante anos uma cadeira de rodas no quarto de guardados do prédio, é porque alguém ligado a ele precisou dessa cadeira. Ou ele pode ter sofrido um acidente e ficou sem poder andar durante algum tempo.

— Por que motivo um homem de cinquenta anos, professor e tradutor, inventaria uma amiga, quase namorada, e agora faria essa amiga, quase namorada, desaparecer? — perguntou Welber, voltando ao desaparecimento da quase namorada Paula.

— Para deixá-la em stand-by caso necessite apontar a mulher esquartejada por ele.

— Mas isso seria completa loucura! — exclamou Welber.

— É uma das possibilidades — respondeu Espinosa.

11.

Anita acordou no dia seguinte ainda sem saber se as impressões da noite anterior eram verdadeiras, isto é, se eram impressões de fatos reais ou se ela sonhara que tinha ido à casa do escritor e falado com ele. Aquilo de ficar até tarde sentada na cadeira, com a cabeça debruçada na janela, espiando o apartamento dele às vezes se tornava monótono e dava sono, e, desde que passara a apoiar a cabeça numa almofada, em vários momentos se surpreendera dormindo. Daí a confusão entre aquilo que efetivamente fora visto e o que fora produto de um cochilo. Levantou-se, fez uso do banheiro, escovou os dentes e foi dar bom-dia à avó e preparar o café. Quando se sentiu plenamente desperta, seguiu para a sala, levantou a persiana e viu no apartamento em frente o escritor sentado ao computador, digitando. Era incrível que, morando a uma distância tão pequena daquele homem, ela não soubesse nem sequer seu nome ou número de telefone.

Mudanças na firma onde trabalhava permitiram que ela passasse a dispor de uma mesa individual, longe de colegas que pudessem xeretar o que ela fazia no computador. Naquele dia mesmo, e com buscas bem dirigidas partindo apenas do endereço e da hipótese provável de o vizinho ser escritor, tradutor ou preparador de textos, conseguiu seu nome, telefone e endereço eletrônico. Ficara sabendo que ele era tradutor e não escritor, e que era professor aposentado da Faculdade de Letras. Com esses dados, poderia realizar abordagens mais eficientes. No metrô, de volta para casa à tarde, Anita pensava nos caminhos de acesso ao tradutor. Começaria com alguns telefonemas cuidadosamente planejados na forma e no conteúdo; em seguida, algumas cartas não muito longas, na verdade bem curtas, para atiçar a curiosidade dele; a etapa seguinte seria a do corpo a corpo: alguns encontros casuais na rua, no restaurante, no supermercado; e, coroando a sequência, a etapa final: a invasão e ocupação do terreno. Não havia erro possível. Ela conhecia todos os hábitos, horários e trajetos do tradutor, e agora dispunha do nome, endereço, telefone e e-mail do professor Vicente Fernandes, o sátiro do apartamento em frente. E, refletindo sobre o achado, concordava que se sentia mais atraída pelo sátiro que pelo professor. Sempre se sentira mais atraída por homens mais velhos do que por rapazes de sua idade. Achava que homens com menos de quarenta anos carregam ainda uma adolescência não completada, eram homens sem história ou apenas com a história da infância e da adolescência, que não tinha nenhum interesse para ela.

Naquela noite, sem que o professor notasse, Anita o observava de sua janela e imaginava se, no dia em que ele concluísse aquela tradução, ela, Anita, seria morta. Não que ela admitisse haver alguma relação de causalidade entre os dois eventos ou a possibilidade de ela ser uma Sherazade contemporânea; o que Anita imaginava era uma sincronicidade entre as duas séries de acontecimentos, embora tivesse apenas vinte e oito anos de idade e saúde perfeita. Continuou observando o tradutor em seu trabalho. A cena não mudava nunca, era o mesmo personagem, a mesma tarefa, o mesmo cenário, a mesma luz amarela do abajur e a mesma luz branca da tela do computador. Ela gostava dessa imobilidade, dava a impressão de que o tempo não passava naquela sala e que o trabalho do tradutor não terminaria nunca... e ela permaneceria viva. Claro que não pensava que isso fosse acontecer realmente, tratava-se apenas de uma conjetura fantasiosa, nada que se assemelhasse a um impulso tanático. Ou pelo menos era o que achava.

O dia amanheceu favorável ao professor Vicente. Estava acordado havia mais de meia hora e ainda não surgira nenhuma imagem da mulher desmembrada. Desde que Paula deixara de entrar em contato com ele, o surgimento das imagens tinha diminuído de frequência e de intensidade. Agora as imagens apareciam como que cobertas por uma nuvem suave que atenuava suas formas e os detalhes do corpo, ocultando a própria ausência de rosto. Vicente permaneceu deitado esperando a irrupção daquelas imagens perturbadoras, como que buscando uma confirmação de que tinham se extinguido. Nada aconteceu. Tomou banho, preparou o café da manhã e começou a trabalhar. Sabia que era quinta-feira, o dia em que Paula costumava marcar os almoços num dos bares do campus da universidade. Mas aquilo não o distraiu do texto nem perturbou o ritmo da digitação. Não havia mais a expectativa do telefonema de Paula, havia apenas o texto de Edgar Allan Poe e o computador à sua frente. A digitação fluía tranquila, com raras paradas para escolher a melhor palavra que traduziria a original.

Anita dispunha de pouco tempo para sair para o trabalho, não podia continuar na janela controlando o vizinho. Tomou banho rapidamente, a roupa já estava separada em cima da cama, vestiu-se, pegou a bolsa e voltou à janela, apenas para confirmar que a cena permanecia inalterada. Imaginava que o professor Vicente teria uma capacidade de concentração extraordinária, nunca o surpreendera olhando para o teto ou para a janela ou mesmo se levantando para pegar algum objeto fora do seu alcance. Parecia uma máquina de tradução e digitação, e sem dúvida melhor que os softwares disponíveis no mercado.

Acenou para o professor sem que ele visse, desceu e tomou a direção do metrô, que ficava a duas quadras do prédio onde morava. O trajeto era curto, ela desceria na estação Cinelândia dali a quinze minutos, se tanto, e estaria a pouca distância do trabalho.

Por volta do meio-dia, esperou a primeira leva de colegas sair para almoçar e preparou o primeiro e-mail para Vicente Fernandes, que evidentemente não enviaria de um computador da firma, mas de um cibercafé ali perto, caso encontrasse algum computador disponível na hora do almoço. O texto era simples, era apenas um primeiro contato. Dizia assim:

Querido Vicente,
Tenho sentido muita saudade. Não sei se a recíproca é verdadeira.
Não sei sequer se você se lembra de mim. Talvez um contato visual (ou até mesmo tátil) atice sua memória.
Este e-mail é no reply.
Breve entro em contato.
Saudade,
Anita.

Aquele era o primeiro passo na direção da tomada do território. Agora, era esperar as inúmeras tentativas dele de entender o bilhete e de descobrir quem era Anita para, então, enviar um segundo bilhete mais perturbador.

Anita vivia as últimas semanas como se estivesse em três mundos paralelos: o primeiro, o da firma binacional onde estava como engenheira trainee, era o menos atraente, ou ainda não se mostrara interessante de fato, era como piada alemã: você tinha que ter lido pelo menos Kant para pegar o espírito da coisa (e ela era fluente em alemão); o segundo era o da casa da avó, onde estava morando provisoriamente, nele o que havia de melhor eram os passeios que fazia empurrando a avó na cadeira de rodas, eram empolgantes, em especial nos corredores dos supermercados, e a avó era muito bem-humorada; o terceiro mundo era o do vizinho do prédio fronteiro, o tradutor/professor Vicente Fernandes, o homem mais metódico e bem-comportado do planeta mas que ocasionalmente era visto correndo nu pelo apartamento atrás de uma mulher também nua que parecia estar fugindo dele mas que não estava. Este terceiro era o que mais a interessava, sobretudo pela figura do professor Vicente, uma estranha mistura de estudioso-pesquisador, louco e sátiro. Seus melhores momentos — e às vezes os mais emocionantes — se davam quando estava à janela da sala espreitando o apartamento do professor, mesmo quando nada acontecia; a imobilidade da cena não era monótona, havia sempre uma tensão, como se de repente alguém fosse irromper porta adentro transformando a natureza-morta em cena dramática; às vezes, em cena dramático-erótica, quase erótico-trágica. E a pessoa que ela via irromper porta adentro era ela própria.

Como o e-mail fora enviado de um cibercafé, ela não poderia verificar se ele fora recebido pelo destinatário, mas, se o endereço estava correto, o professor o teria recebido, sim. Havia também a possibilidade de que ele não conferisse diariamente os e-mails, podia ser o tipo de gente que fica dias sem verificar a caixa de entrada. Na dúvida, o e-mail seguinte seria acompanhado de um telegrama.

Na volta para casa, a caminho do metrô, passou numa galeria com dezenas de lojas de eletroeletrônicos e instrumentos óticos. Procurou as que vendiam objetos usados e, depois de idas e vindas pelos corredores da galeria que tinha três pisos, encontrou o que buscava: um binóculo. O instrumento estava com a forração externa muito gasta e a parte de metal arranhada, mas as lentes estavam perfeitas.

— É um binóculo alemão Carl Zeiss, foi usado pela Wehrmacht na Segunda Guerra Mundial — disse o dono da loja, em português, com um longínquo sotaque germânico.

Anita respondeu num alemão impecável, dizendo que não comprava nenhum aparelho ótico que não fosse alemão, e que, dentre os alemães, a marca Zeiss era a que ela mais apreciava, mas que lamentavelmente não podia pagar o preço que ele estava pedindo... Além do mais, o binóculo estava bastante gasto, com a parte de couro descascada. Não havia dúvida de que o binóculo que estava em suas mãos tinha atravessado toda a guerra...

O homem ficou encantado com o alemão e com a beleza tipicamente alemã de Anita.

— Quando vi a senhorita entrar na loja, tive certeza de que se tratava de uma *junge Frau*.

Depois de meia hora de conversa, Anita saiu da loja levando o binóculo pela metade do preço. Quando entrou em casa com o embrulho, deu uma rápida olhada pela janela apenas para confirmar que o professor estava sentado ao computador. Deixou o embrulho sobre o pequeno console da sala e foi ver a avó, com quem manteve uma conversa mais breve que de costume, em seguida colocou o seu prato no micro-ondas e trocou de roupa. Enquanto comia, andando da cozinha à sala com o prato na mão, verificava se o professor permanecia no mesmo lugar. Terminado o jantar, lavou o prato, escovou os dentes e voltou à janela já com o binóculo na mão. Ajeitou a cadeira de modo a poder apoiá-lo no peitoril enquanto vigiava o professor e apagou a luz para não ser vista por ele. Pegou o binóculo, ajustou o foco e apontou para o seu alvo. "Vai começar a guerra", disse baixinho.

A imagem era excelente, a nitidez dos detalhes, a incrível aproximação... Via o professor de perfil, sentado ao computador, tinha a impressão de poder sussurrar-lhe um segredo no ouvido. O campo visual era restrito, não pelo binóculo, mas pela limitação da janela e da dimensão do ambiente. Dava para ver a sala inteira, da janela da frente à porta de entrada, mas apenas da sua perspectiva. Não dava para ver os objetos na estante (a não ser os dispostos na borda da prateleira); também não dava para ver a tela do computador, que quase sempre estava de perfil (assim como o professor); tampouco via o chão, já que as duas janelas (a dela e a dele) tinham um pavimento de diferença — a dela no décimo primeiro andar e a dele no décimo dos respectivos prédios, o que tornava a perspectiva dela mais favorável. No primeiro plano (do ponto de vista dela) perto da janela, havia uma mesa redonda com tampo de vidro para quatro lugares, que ela nunca vira ser utilizada para refeições; em seguida, junto à parede direita (ainda do seu ponto de vista), havia um sofá de três lugares com uma mesinha quadrada em cada extremo; na parede oposta havia uma bancada com dois computadores, um desktop e um notebook, além de um telefone acoplado a um fax e de outros objetos e aparelhos menores; junto à bancada, uma cadeira giratória de braços e com rodinhas, assento e encosto de couro, parecendo bastante confortável (era onde ele ficava sentado o dia inteiro). A parede à direita era cega, mas à esquerda da sala havia uma entrada que supostamente levava ao quarto e banheiro, e também à quitinete; e bem de frente para Anita era a porta de entrada. Dos cômodos que compunham o apartamento, o único visível para ela era a sala. Encostado à parede-cega e junto à porta de entrada havia algo que parecia uma mesa de armar mas que ela não conseguia ver com clareza por causa do abajur sobre a mesinha ao lado do sofá. Ambas as paredes eram cobertas de estantes de livros, sendo que o sofá e a bancada eram embutidos nas estantes. A impressão que dava era a de que, pelo menos na sala, não havia espaço para mais nada. Depois da panorâmica do ambiente, Anita procurou capturar os detalhes, e o primeiro que chamou sua atenção não foi pela presença, mas pela ausência: não havia porta-retratos; nem sobre a bancada de trabalho nem sobre as mesinhas ao lado do sofá nem nas prateleiras das estantes. Também não havia quadros. O professor lidava com palavras, talvez não gostasse de imagens. Tampouco havia jarro de flor ou objetos decorativos. A sala não era feia ou desagradável, ao contrário, parecia agradável e acolhedora. Apenas não tinha ornamentos. O outro detalhe dizia respeito à qualidade dos móveis e dos objetos: a cadeira de trabalho do professor era certamente importada; a bancada era de madeira maciça e, pela cor e pelo que as lentes Zeiss chegavam a detalhar, parecia uma peça única de quase dois metros de pinho-de-riga ou de peroba-do-campo, e disso ela entendia um pouco; o abajur de leitura ao lado do sofá era de muito bom gosto... Enfim, o professor tinha bom gosto e comprava coisas de qualidade. Não deu para ver a marca dos computadores, uma vez que ambos estavam de perfil para ela, mas Anita podia apostar que eram de primeira linha. Do que estava ao alcance do seu novo olho, ela só não conseguira ver os livros e a mesa dobrável. Para que ele precisaria de uma mesa dobrável? Além de sua magnífica bancada, havia a mesa de tampo de vidro, que ela nunca tinha visto ser usada para nada... A suposta mesa de armar encostada na parede ao lado da porta podia ser uma bicicleta dobrável, dava para ver algo que parecia uma roda raiada. Se era, ele não devia usar com frequência, ela nunca o vira sair ou chegar de bicicleta, como também nunca o tinha visto limpar a bicicleta ou mudá-la de lugar. Parecia ter uma proteção de couro, talvez uma capa para que pudesse ficar na sala sem agredir o ambiente. O apartamento era pequeno, podia ser que não tivesse quarto de empregada. Daí a capa de couro, o que sem dúvida era um luxo, poderia ser de plástico ou de pano... A não ser que aquilo não fosse uma bicicleta... embora parecesse ter duas rodas... Não era bicicleta... era uma cadeira de rodas. Aquele couro não era uma capa protetora, era o assento e o encosto da cadeira de rodas que estava dobrada e apoiada na parede. Mas por que uma cadeira de rodas? Já o tinha visto andando pelo apartamento e na rua. Não tinha nenhuma deficiência física, andava perfeitamente e com bastante desenvoltura, como ela observara no supermercado. E não morava ninguém com ele... A não ser que no quarto, fora do seu campo de visão, houvesse alguém paralítico que só pudesse se deslocar em cadeira de rodas. Nesse caso, deveria haver outra pessoa que cuidasse desse paralítico, já que o professor ficava o tempo todo na sala trabalhando no computador. Conhecia muito bem a movimentação de uma casa com uma pessoa impossibilitada de sair da cama: ela necessita de cuidados que dependem do auxílio de acompanhante em tempo integral. E não era esse o caso do professor, e tampouco em seu apartamento era visível a presença de alguém encarregado dessa tarefa. Mas sem dúvida aquela cadeira estava lá a serviço do professor. E devia ser indispensável. Além de ter um lugar de destaque, próximo à porta de entrada, era o único objeto em desarmonia com o ambiente. Não era objeto decorativo.

Anita passou o resto da noite captando detalhes da sala do professor Vicente ou do próprio professor: perfil da face esquerda, cabelo, braços, mãos e, muito ocasionalmente, a face frontal, quando ele virava o rosto para a janela. Uma única vez, quando ele foi ao banheiro (voltou fechando o zíper), ela pôde ver o corpo quase que inteiro de frente. Sua movimentação era ágil, levantou-se sem esforço, os passos eram largos e firmes, o corpo ereto. Enfim, em nada se parecia com alguém que necessitasse de uma cadeira de rodas. Quando Anita consultou o relógio, ele marcava dez para a meia-noite. Ela estava debruçada sobre a cena em frente fazia mais de três horas.

Afastou-se da janela, acendeu a luz do abajur e examinou orgulhosamente o binóculo. "A melhor compra que fiz desde que cheguei ao Rio", disse para si mesma. Não se tratava de um binóculo de teatro, desses que as mocinhas antigamente utilizavam nas frisas para ver os atores no palco e os rapazes da plateia, mas de um binóculo de uso militar, robusto, grande, possante e perfeito para o uso que pretendia fazer dele... ou que já estava fazendo... e que se mostrara excelente. Quanto ao tamanho, não era impedimento, podia manejá-lo perfeitamente como acabara de fazer durante três horas sem se cansar. Verdade que estava apoiada no parapeito da janela, mas mesmo assim sustentava o binóculo com as mãos. O fato era que com aquele instrumento tinha pleno acesso visual à sala do tradutor.

O que não podia ver com o binóculo era se o professor já tinha lido o e-mail que ela enviara na hora do almoço. Para isso, o binóculo era inadequado. Mais que uma boa observadora, ela precisaria ser uma hacker. Coisa que ela não era.

Hora de dormir.

12.

Irene chegaria naquele fim de semana, depois de ter passado dois meses (na verdade, dois meses e quatro dias) em Nova York cumprindo parte de um programa de especialização em arte contemporânea norte-americana. Era comum eles ficarem distantes um do outro por alguns dias, a empresa em que Irene trabalhava tinha escritório no Rio e em São Paulo, o que exigia dela um uso frequente da ponte aérea, mas viagens internacionais de longa duração aconteciam apenas a cada dois anos. Apesar de morarem em apartamentos separados e cada um num bairro, Espinosa considerava a relação entre eles, que se mantinha constante havia mais de uma década sem diminuição do afeto ou da atração sexual de um pelo outro, como estável. O fato de não morarem juntos não significava que estivessem separados por exigência externa, tratava-se de escolha de ambos, sem que tivessem que contar um ao outro o que haviam feito ou com quem estiveram. Os dois tinham necessidade de um espaço próprio, diferenciado e privado, embora fosse frequente passarem a noite ou o fim de semana inteiro ora no apartamento de um ora no do outro. Irene era uma designer de reconhecimento internacional, Espinosa era um policial de reconhecimento nacional (ainda que pouquíssimas vezes fosse levado a atuar fora do Rio de Janeiro). Não havia choques. Pessoas e profissões eram compossíveis. Irene sairia de Nova York no sábado à noite, devendo chegar ao Rio na manhã de domingo. Ainda era manhã de sexta e Espinosa tomava café antes de ir para a delegacia, trajeto que fazia a pé em dez minutos, caminhando sem pressa.

Na recepção havia um recado do professor Vicente pedindo que o delegado ligasse para ele assim que possível. O número do telefone estava anotado abaixo. Espinosa ligou e o telefone foi atendido ao primeiro toque por uma voz nervosa e um tom acima do normal.

— Professor Vicente?

— Sim.

— Bom dia. Delegado Espinosa falando, estou respondendo ao seu chamado.

— Sim, bom dia, delegado, obrigado por ligar.

— Aconteceu alguma coisa, professor?

— Sim... Não sei... O senhor mandou que me vigiassem ou que vigiassem a minha casa?

— Não. Por que a pergunta?

— Porque estão me vigiando dia e noite.

— Quem o está vigiando, professor?

— Uma mulher no prédio em frente ao meu, no outro lado da rua e um andar acima do meu. Desde que tive a primeira entrevista com o senhor, notei que havia uma mulher, ainda jovem, que me observava pela manhã e à noite diariamente, mesmo aos sábados e domingos.

— Não pode ser uma jovem solitária que fica à janela observando o movimento?

— Não, delegado. Não se trata do olhar vadio e distraído de uma adolescente, mas de um olhar observador, direcionado para a minha janela e atento a todos os meus movimentos, sendo que a partir de ontem ela passou a me observar com um binóculo que está longe de ser um binóculo de brinquedo; é um binóculo grande, de longo alcance. Ela fica horas seguidas me olhando, só se afasta da janela quando eu apago as luzes e vou dormir. Não é uma atividade amadora, é uma campana profissional.

— Pode estar certo de que não é uma campana policial e muito menos ordenada por mim. É mais provável que seja obra de uma voyeuse. Dá para o senhor identificar a moça à distância de um lado ao outro da rua?

— Perfeitamente. A distância é de no máximo vinte metros... dezoito metros, talvez. Agora, delegado, imagine com um binóculo poderoso... Ela consegue ver cada objeto, cada detalhe, deve me ver melhor do que eu me vejo no espelho.

— Professor, não é assim que a polícia age. E o senhor pode estar certo de que não ordenei que vigiassem o senhor ou sua casa.

— Acredito na sua palavra, delegado.

— Se o senhor quiser dar queixa, venha à delegacia, preencha um BO, e eu mando um inspetor fazer uma visita à moça.

— BO?

— Boletim de ocorrência.

— Obrigado, delegado, mas não é necessário. Fiquei preocupado porque pensei que fosse uma vigilância policial e não o ato inocente de uma voyeuse.

— Não creio que seja inocente, professor, mas, se esse olhar for acompanhado de algum comportamento inconveniente, ligue para a delegacia.

O número de chamadas e atendimentos na semana tinha sido abaixo do usual, coisa que às vezes acontece, independente da ausência de eventos extraordinários na cidade. Homicídios, assaltos a residências, roubos a caixas eletrônicos em bancos, postos de gasolina, estabelecimentos comerciais ou a passantes dependem da variação do tráfico de drogas na cidade, e na semana que se encerrava parecia que tudo estava correndo dentro do que se poderia chamar de calma urbana. Até mesmo a chamada telefônica do professor Vicente estaria incluída nesse padrão de calmaria, o que não significava que nenhum delito fora cometido nesses dias, mas apenas que a quantidade de delitos estava dentro da média.

Espinosa passou o sábado colocando no lugar roupas, objetos e livros, pois previa a chegada de Irene para a manhã de domingo. Não era relapso na arrumação da casa, mas acontecia de nem sempre dispor de tempo para recolher objetos (principalmente livros) que fora deixando em cima de móveis, nos assentos das cadeiras ou empilhados no chão da sala ao lado da poltrona de leitura, embora fosse cuidadoso com a limpeza da louça utilizada no dia e com o banheiro. A faxineira ia uma vez por semana para fazer o resto. E assim o apartamento estava sempre limpo e em ordem. Aos dez anos de idade perdera pai e mãe num desastre de carro e fora criado pela avó, que passara a morar com ele. Ela era uma pessoa adorável e os dois se davam muito bem. A avó fazia traduções de *pulp fictions* americanos para editoras que vendiam os livros em bancas de jornal, e o ritmo de trabalho dela devia atender demandas semanais. Por isso, desde cedo ele aprendera a cuidar minimamente do seu cotidiano doméstico. Quando Espinosa completou dezoito anos, a avó voltou para o apartamento dela e ele continuou morando sozinho no apartamento que herdara dos pais, onde mais tarde viveu durante três anos com a mulher e o filho, até o casamento acabar e a mulher se mudar para Washington levando o filho com ela. Desde então morava sozinho e mantinha os cuidados domésticos que aprendera com a avó. A única coisa que ele não sacrificava pelos afazeres domésticos era a leitura, mas essa era facilmente deslocada para as horas noturnas, salvo quando estava com Irene.

Manhã de domingo, o voo chegara no horário e Irene fora das primeiras a aparecer pela porta que abre para o saguão do aeroporto. Ninguém diria que ela viajara durante dez horas na classe econômica. O abraço silencioso expressava com eloquência o tempo que ficaram afastados um do outro. Foram direto para o apartamento dela, pois o fim de semana se reduziria ao que restava do domingo. Encomendaram o almoço no restaurante que dispunha do melhor serviço de entrega de Ipanema; as bebidas, tinham pedido logo que entraram no apartamento. A fome de comida era quase tão intensa quanto a fome sexual. Na vinda do aeroporto falaram sobre o estágio dela em Nova York; já em casa, num dos intervalos amorosos, Irene perguntou:

— E o seu trabalho? Algum caso novo interessante?

— De interessante, a única novidade é um não caso — respondeu Espinosa.

— Um não caso? Vocês agora estão investigando casos metafísicos?

— Quase isso. Um professor me procurou na delegacia para confessar um ou vários assassinatos de mulheres que ele teria cometido há mais de dez anos; disse que agora as imagens dos corpos esquartejados emergem à sua consciência, atormentando-o. Mas ele não lembra quando esses crimes foram cometidos, nem como ou onde foram executados, nem quem eram essas mulheres. A única referência que ele tem é uma lista de dez nomes numa caderneta do ano de 2001.

— E esse não caso pede uma investigação policial?

— O próprio reclamante pede que isso seja feito, para livrá-lo das imagens perturbadoras ou das dúvidas com relação a essas memórias.

— Interessante.

— E agora ele se queixa de ser observado de binóculo, dia e noite, por uma jovem vizinha do prédio em frente.

— Interessante.

— É, mas me conta como foi em Nova York.

Irene rolou o corpo para cima do corpo de Espinosa, interrompendo a primeira parte do relato.

— Daqui a pouco eu conto.

Na segunda-feira pela manhã ambos chegaram atrasados ao trabalho.

Vicente passara o fim de semana às voltas com o texto de Poe, o penúltimo conto da seleção, "A carta roubada", cuja tradução não conseguira concluir naquela tarde apesar de estar trabalhando nele havia três dias; o último conto era "The Gold Bug" ("O escaravelho de ouro"), e em seguida vinha a série de Poemas. Esta exigiria muito mais dele não só pela complexidade como pelo fato de ele próprio ser menos afeito à poesia do que à prosa. Achava que tinha a alma rugosa, irregular, feita mais de sombras que de claridade, onde apenas a razão conseguia às vezes operar com sintonia fina, sendo a emoção e os sentimentos frequentemente convulsos.

Trabalhou sem parar o resto da tarde. Às sete da noite fez uma pausa e levantou-se para esticar pernas e costas, foi quando percebeu o indicador de que havia mensagem na caixa de correio.

Abriu o e-mail:

Querido Vicente,
Espero que tenha recebido o e-mail anterior. Quando chegar a hora, darei meu endereço para que você possa responder. Por enquanto, teremos que continuar sem possibilidade de resposta de sua parte. Para refrescar sua memória, aqui vão alguns poucos dados: tenho hoje vinte e oito anos de idade, venho da serra catarinense, filha de pais alemães, e trabalho numa firma alemã com filial no Rio. Tenho certeza de que nosso reencontro será muito prazeroso.
Saudade, Anita.

Vicente leu o e-mail várias vezes, tentando entender do que se tratava. Procurou no arquivo o e-mail anterior da mesma pessoa. Eram, indubitavelmente, da mesma pessoa. O que ele não sabia era que pessoa era aquela. O fato de se assinar "Anita" não queria dizer nada. Não conhecia Anita nenhuma, muito menos uma alemã de vinte e oito anos, nunca esteve em nenhuma firma alemã, tampouco entendia qual o sentido daquilo tudo. "Tenho certeza de que nosso reencontro será muito prazeroso." Que bobagem era aquela? "Reencontro", como assim, "reencontro"? Onde e quando havia sido o encontro? Tratava--se certamente de uma invenção. Com a diferença de que ela sabia quem ele era, mas ele não tinha a menor ideia de quem ela poderia ser.

Tirou a roupa, entrou no banheiro e abriu o chuveiro. Muitos problemas são resolvidos durante o banho. A água quente amolece os pensamentos, dilui as barreiras e facilita a solução. Ficou uns vinte minutos debaixo do chuveiro. Saiu aliviado, mas não porque resolvera o mistério da suposta alemãzinha, e sim porque os pensamentos tomaram caminhos diversos e ele esqueceu momentaneamente o que o estava preocupando ao entrar no banho. Mas sentia uma leve dor de cabeça e, passados alguns minutos, teve a primeira visão da mulher desmembrada, seguida de mais uma ou duas visões. As imagens tinham diminuído de frequência nas últimas semanas.

Merda de e-mail. Merda de invasão. Pressentiu a possibilidade de uma crise; tomou a medicação preventiva, vestiu uma roupa velha e se deitou no sofá da sala. Em seguida ligou para a portaria e pediu ao porteiro que dali a meia hora subisse para verificar se ele estava bem, a porta estaria destrancada. Caso ele não estivesse bem, que o porteiro chamasse a ambulância, o número estava ao lado do telefone. Se estivesse tudo em ordem e ele estivesse dormindo, bastava sair e fechar a porta.

Acordou cedo na manhã seguinte, com fome e sem sinal de ter havido crise. Ligou para a portaria, o porteiro da noite ainda não tinha trocado de turno.

— Bom dia, professor. Encontrei o senhor dormindo... Não tinha nada desarrumado... Saí de mansinho e fechei a porta.

Após o café da manhã, Vicente ligou o computador e tentou localizar a origem do e-mail da véspera. Depois de várias tentativas e de apelar para auxílios diversos, o máximo que conseguiu descobrir foi que a mensagem havia sido enviada de um cibercafé ou de um estabelecimento análogo. Não era possível saber o endereço. A remetente — se é que era mesmo mulher — prometera enviar seu endereço eletrônico para que ele pudesse entrar em contato com ela. Nada mais podia fazer a não ser esperar. Supunha que a polícia teria meios de localizar a fonte do e-mail, mas não queria recorrer ao delegado Espinosa para mais esse tipo de assédio. Por enquanto, nada de grave tinha acontecido e as mensagens não continham nenhuma ameaça, a não ser a de sedução por uma alemãzinha de vinte e oito anos, o que certamente não caracterizava caso de polícia. Retomou a tradução de "A carta roubada". O conto era um dos seus preferidos dentre os muitos de Poe, talvez por isso não estivesse interessado em terminar logo o trabalho.

Ainda sentia falta de Paula, mas tinha de aceitar o fato de as relações terminarem um dia, até mesmo aquelas que recebem a chancela do Estado e da Igreja (como fora o caso do seu casamento). Não era, pois, de esperar que uma relação frágil como a dele e Paula durasse para sempre. Nem mesmo na memória, essa máquina de esquecer, como pensava ele, isso acontecia. Trabalhou até perto das duas da tarde, quando decidiu descer para almoçar. Tinha a impressão de não ter jantado na véspera, e o café da manhã havia sido frugal. Àquela hora os restaurantes do bairro começavam a esvaziar. O que ele costumava frequentar possuía apenas seis mesas pequenas junto à parede lateral, mas podia ser que alguma delas já estivesse disponível. Era na hora do almoço, mais que na do jantar, que ele tomava contato com o mundo externo. No seu apartamento, com as janelas de vidro duplo, não ouvia os sons de fora, como não tinha acesso aos cheiros do mundo e tampouco sentia na pele o calor, o frio, a chuva, o vento, não tinha contato com pessoas e muito menos com a multidão. Isso ocorria apenas quando ele aproveitava para fazer as compras e alguns pagamentos que não podiam ser efetuados pela internet. Farmácia, supermercado, restaurante e banco compunham o seu mundo externo. Havia também a consulta mensal ao médico, a semestral ao dentista e nos últimos dois meses os encontros com Paula, que certamente não aconteceriam mais. Era um mundo pequeno, com uma população reduzida e que lhe era desconhecida. Claro que tinha contato pessoal com o farmacêutico, com o garçom do minirrestaurante em frente, com o caixa do banco e com um ou outro funcionário do supermercado, mas isso não ultrapassava a relação mais superficial possível; se encontrasse com eles fora dos seus locais de trabalho, não seria capaz de reconhecê-los.

No restaurante, a mesa mais próxima da porta estava disponível. Sentou-se na cadeira voltada para fora e pediu o de sempre. Dali, via a entrada do seu prédio do outro lado da rua e o fluxo ininterrupto de pessoas nas duas calçadas. O espetáculo era para ele tão distante e exótico quanto o deslocamento da multidão numa avenida de Tóquio ou de Beijing. O almoço durou mais do que o usual, e não restou nem frango nem batata frita que ele pudesse levar para reforçar o lanche noturno, o que serviu para confirmar que não jantara na noite anterior.

Continuou olhando para a entrada do seu prédio. O restaurante era exatamente em frente, talvez um prédio igual ao dele, no mesmo estilo, construído na mesma época, para a mesma classe média. Era o edifício onde morava a mulher que o vigiava com binóculo. Pediu a conta e foi examiná-lo. Parou de costas para ele e olhou para o seu prédio. Era ele, sem dúvida; olhou para o último andar e lá estavam as duas janelas do seu apartamento, sendo que a sala ficava precisamente em frente. De onde ele estava, de pé na calçada, podia ver o porteiro do seu prédio, do outro lado da rua, sentado à mesinha na portaria mal iluminada. Era assim que a mulher da sala do décimo primeiro andar via o seu apartamento, tal como ele naquele momento estava vendo o porteiro, ou melhor ainda, já que o via bem iluminado e munida de binóculo. Pensou em subir ao apartamento dela e tocar a campainha. Não pretendia confrontá-la, queria apenas ver como era, se tinha algum problema físico que a condenasse a ficar olhando os outros de longe, da janela de um décimo primeiro andar. Mas foi andando até a esquina, atravessou a rua no sinal e voltou para casa.

No domingo à noite, Anita vigiara o professor sem despregar os olhos da sala, à espera do momento em que ele leria o e-mail que ela lhe enviara. Ele devia consultar sua caixa de e-mails raramente, talvez uma única vez por dia, decerto no final do dia, antes de ir dormir. E ela achava que naquela noite captara o momento exato em que isso se deu, e ficou espantada com o modo como ele reagiu: aproximou o rosto do computador, como que pretendendo ler as entrelinhas para apreender o não dito na mensagem. Ele não digitava nada, apenas lia... e relia... e esse ir e vir, ou esse aproximar e afastar os olhos da tela do computador, se repetiu várias vezes com diferentes tempos de leitura. Por fim, levantou-se e andou pela sala, tirou a camisa e se encaminhou para o quarto ou para o banheiro. Pela demora e pela mudança de roupa, foi tomar banho. Retornou à sala, mas logo em seguida entrou novamente no banheiro, voltando com o que parecia ser uma caixa de remédio e um copo com água. Tomou o remédio e se deitou no sofá. Passados alguns minutos, pegou o telefone e fez uma ligação rápida. Coisa rara. Pouquíssimas vezes o vira falar no telefone, menos ainda fazer uma ligação. Pensou que ele decidira, por algum motivo não evidente, dormir no sofá... sem no entanto apagar a luz do abajur. Continuou a postos na janela por mais meia hora, e já estava decidida a abandonar a vigília quando a porta da sala do professor se abriu, sem que ele tivesse se levantado para destrancá-la, e entrou o porteiro, que ela reconheceu pelo uniforme e por tê-lo visto várias vezes. O professor permaneceu deitado, sem se mover. O porteiro deu uma olhada geral na sala, aproximou-se do professor, fitou-o durante meio minuto, e saiu sem apagar a luz do abajur e sem trancar a porta. Foi quando Anita se deu conta de algo que ela suspeitava: a porta do apartamento não era trancada, nem de dia nem de noite, quando ele estava sozinho. Por que isso? Claro que ele não devia ter nada de grande valor em casa, mas, mesmo assim, ninguém deixa a porta de casa aberta, à disposição de quem quiser entrar e souber que a porta está destrancada. Ou seja, o professor tinha de deixar a passagem livre, ou a entrada livre, para o caso de precisar de ajuda. Isso podia explicar a cadeira de rodas que ela vira encostada na parede da sala junto à porta de entrada. E talvez explicasse também por que um homem relativamente jovem e aparentemente forte e saudável vivia trancado num apartamento conjugado, sentado em frente a um computador, digitando sem parar. Ele devia ter uma doença que se manifestava de maneira inesperada e que pedia socorro imediato. Daí a porta destrancada... ou talvez o porteiro tivesse uma cópia da chave... ou o síndico. A cadeira de rodas serviria para transportá-lo até a rua quando não conseguissem ambulância. Claro que isso não combinava com a cena em que ele corria nu atrás de uma mulher pelos cômodos do apartamento. Ou talvez essa fosse uma das formas de manifestação da doença. O que ela pôde depreender disso tudo foi que haveria períodos longos, do dia ou da noite, em que o acesso ao apartamento do professor estaria disponível a qualquer um, sendo que ele próprio ficaria vulnerável ao invasor.

13.

Quando na manhã de quarta Espinosa chegou à delegacia, o inspetor Chaves o esperava com uma folha de papel contendo algumas anotações.

— Bom dia, delegado.

— Bom dia, Chaves. Temos novidade?

— Alguma coisa, delegado. O senhor me pediu para procurar na internet qualquer notícia sobre uma estudante universitária com idade entre dezoito e vinte e oito anos, morta ou desaparecida, ou sobre a descoberta de algum corpo não identificado mas que correspondesse ao que estávamos procurando. Não achei. Passei então a procurar não notícias de corpos ou de mulheres desaparecidas com as características dadas, mas notícias de membros dispersos ou de corpos inteiros mas irreconhecíveis e sem condições de ser identificados, embora pudessem ser datados. Encontrei vários. Um, queimado quase que por completo; outro, deteriorado e parcialmente comido por predadores; outro, só dois braços com as mãos amputadas; achei um crânio ainda com resíduos de pele, este graças a uma forte ressaca que retirou quase toda a areia de uma pequena praia além do Recreio e junto com ela desenterrou o crânio... O mais interessante foi uma ossada encontrada no mesmo local onde se acharam alguns corpos, talvez cinco ou mais, a maior parte deles de mulheres.

Espinosa olhava espantado para o jovem policial.

— Delegado, devo dizer que não encontrei nenhum desses restos de corpos, o que encontrei foram relatos desses achados em notícias policiais da internet e em registros do IML. O importante é que alguns desses corpos são de mulheres; foram todos examinados pelo Instituto Médico Legal. Daí minha possibilidade de chegar a eles. O outro dado significativo é que os exames situam a data da morte das vítimas por volta do ano 2000.

O inspetor Chaves tinha esperado Espinosa na entrada da delegacia e foi expondo para ele esses dados enquanto subiam para o segundo pavimento, com duas paradas no meio da escada, e entravam no gabinete do delegado. Espinosa pendurou o paletó no encosto da cadeira, retirou a arma enfiada no cós da calça, nas costas, sentou na sua poltrona e apontou a outra, em frente, para o inspetor.

— Sente-se, Chaves. Você fez um bom trabalho. Diga o que mais conseguiu desenterrar, enquanto peço um café e mando vir o Welber e o Ramiro para tomarem conhecimento dos seus achados.

Welber e Ramiro chegaram, cumprimentaram o delegado e deram um tapinha nas costas de Chaves. Em seguida entrou uma servente trazendo uma bandeja com um bule de café, xícaras, copos e água mineral. Quando estavam todos sentados e servidos, Espinosa pediu ao que estivesse mais perto da porta que a fechasse — o que era o sinal para que não fossem interrompidos, a menos que surgisse algo grave.

— Chamei vocês — o delegado se dirigiu aos seus dois auxiliares imediatos — porque são os que estão a par da história do professor Vicente, nosso vizinho de bairro. Há alguns dias, pedi ao inspetor Chaves que fizesse uma pesquisa na internet dos casos de desaparecimento, assassinato, achados de partes ou restos de corpos, no período compreendido entre 1999 e 2003, de mulheres com idade entre dezoito e vinte e oito anos. Ele vai repetir para vocês o que acabou de me relatar.

Chaves obedeceu, e, terminado o relato, acrescentou:

— É importante repetir também que não encontrei nenhum desses corpos ou restos de corpos, o que encontrei foram relatos de achados de membros dispersos analisados no IML, alguns deles apontados como restos de corpos de mulheres mortas há mais ou menos uma década.

— O que temos de verificar é qual a margem de erro na datação desses restos analisados pelo IML e se há alguma maneira de tornar essa datação mais precisa; de posse dessas informações, faremos um levantamento das atividades do professor Vicente em torno dessas datas — disse o delegado Espinosa.

— Continuo com a opinião de que isso tudo pode não passar de meras coincidências. O próprio professor, quando veio me procurar para falar de suas suspeitas, o fez não por achar que de fato havia assassinado alguma das mulheres, ou todas, da lista de dez nomes constantes em sua caderneta de mais de dez anos atrás. O que ele queria na verdade era se livrar das visões que o atormentam.

— Os registros e laudos do IML desse material específico não são precisos, eles dão a idade aproximada e o sexo da vítima, e o tempo que os restos mortais estiveram enterrados — acrescentou o inspetor Chaves. — Vou entrar em contato com eles pessoalmente e tentar obter o máximo de informação sobre esse material.

— O que mais me espanta, além da possibilidade do professor Vicente ter matado essas mulheres — disse Espinosa —, é como ele teria se livrado dos corpos. Esconder um corpo é mais difícil do que matar uma pessoa.

— Ele poderia ter contratado alguém para fazer essa tarefa — sugeriu Chaves.

— E se tornaria refém dessa pessoa — completou Ramiro.

— Ele então mataria essa pessoa e simplesmente abandonaria o cadáver...

— O que vocês estão supondo? Essa é uma brincadeira sem fim — disse Espinosa.

— Desculpe, delegado. É que, se o assassino não quiser se tornar refém da pessoa que ele contratar para sumir com o corpo, ele mesmo terá que fazer desaparecer o cadáver, ou os dez cadáveres... E não vejo o professor Vicente fazendo isso.

— Certamente não foram dez cadáveres de uma só vez. Foram dez cadáveres, se é que foram mesmo dez, ao longo de aproximadamente quatro anos.

— Mesmo assim, é muito assassinato e muito cadáver para um homem com o tipo de vida que o professor leva.

— Leva agora, mas não levava. Esses crimes, se é que são reais, teriam sido cometidos há dez anos, o professor teria quarenta anos e não vivia trancado num quarto e sala. E, mesmo hoje, ele aguentaria o tranco — opinou Welber, que até então apenas acompanhara o diálogo.

Espinosa retomou a palavra e alinhavou uma investigação preliminar com base nos achados do inspetor Chaves:

— Não vamos começar pelo fim, mas pelo começo. Chaves vai procurar desenterrar, e a palavra melhor é essa mesmo, todos os registros e laudos do IML referentes aos anos de 2000 a 2003, além dos quatro ou cinco que já conseguiu. Quando tivermos em mãos todo o material obtido por ele, traçaremos uma linha de investigação centrada na pessoa do professor Vicente Fernandes. Enquanto isso, vamos recolher o maior número possível de informações sobre o professor. Vamos tentar fazer isso sem interromper ou retardar investigações de casos em andamento. Os primeiros passos, portanto, já foram dados por Chaves e serão ampliados a partir de agora. Vamos nos reunir pelo menos a cada fim de semana para juntar o que tivermos conseguido.

Durante a manhã e a tarde daquele dia Anita não parou de pensar nas leituras que poderia fazer da cena que presenciara na noite anterior, quando o professor, depois de ler o e-mail que ela enviara (era o que ela supunha), comportou-se como se tivesse sido atingido por alguma notícia muito grave e terminou a noite deitado no sofá da sala vigiado por eventuais entradas do porteiro. Ela acabou descartando a suposição de que o comportamento do professor fora uma reação à mensagem que lhe enviara, dado seu conteúdo amoroso e nada ameaçador. A imagem do homem forte e viril que corria nu atrás de mulheres pelo apartamento cedeu lugar à imagem de um homem frágil e portador de alguma deficiência que o deixava inconsciente quando afetado por palavras ou pelas tais imagens ameaçadoras. Era o que ela podia supor, considerando a cena presenciada da janela do seu apartamento. Antes de ir para o trabalho naquela manhã, tinha dado uma rápida olhada na sala do professor, mas o cenário continuava parecendo o de uma exposição de museu de cera. Tudo estava no seu lugar, inclusive o professor, sentado ao computador digitando sem parar. Agora era noite e ele já devia ter feito o costumeiro lanche antes de começar a última etapa do dia. Ela, por sua vez, terminara de jantar e se preparava para a vigília noturna.

O que faltava no palco do professor era um número maior de atores e atrizes para imprimir mais movimento e quebrar a monotonia do script. A única vez em que houve ação, sexo e violência (mesmo assim, de baixa intensidade) foi na cena da perseguição sexual com sexo explícito e nu frontal. Que não se repetiu mais. A vida do professor era uma peça de um só ato com dois atores num cenário imutável. Talvez coubesse a ela modificar o roteiro, os diálogos, o cenário e os personagens, sobretudo introduzindo outro personagem feminino: ela própria. E, para dar início a essa nova etapa, escreveu mais uma mensagem:

Querido Vicente,
Espero que você tenha gostado dos dados pessoais enviados no e-mail anterior. Sei que ainda não tem meios de me responder, ainda está

prisioneiro, mas não se preocupe, porque vou libertá-lo e você poderá
saborear a maravilhosa fluidez da vida.
Até logo mais,
Anita.

Enviou imediatamente a mensagem e correu à janela para espiar a reação do professor; caso ele optasse por "responder", a resposta iria para um notebook que alugara e que estava ao seu lado.

E viu repetir-se a cena do dia em que ele recebera o outro e-mail. O professor digitava normalmente, então parou, moveu o mouse, aparentemente clicou num ícone da tela, esperou alguns segundos, novo clique, e ficou olhando fixo para o computador, com os braços cruzados sobre o peito. Em seguida tornou a mover o mouse e supostamente clicou mais uma vez, e, se ela estava certa, foi no "responder", mas de novo ficou por longo tempo olhando, sem escrever nada. Fechou a tela e ao que parece retornou ao texto que estava digitando. Levantou-se, andou pela sala, dirigiu-se ao banheiro (foi o que ela supôs, pela proximidade da luz que se acendeu), voltou, sentou-se diante do computador mas não tocou no teclado, levantou-se outra vez e olhou para a janela do apartamento de Anita, mas a luz da sala estava apagada, não daria para ele ver nada. Depois de andar pelos cômodos durante uns quinze minutos, o professor voltou à sala, deitou-se no sofá e permaneceu imóvel. Diferentemente da vez anterior, não usou o telefone. Anita imaginou que ele tivesse adormecido. Vendo-o assim, sentiu-se atraída pela possibilidade e facilidade de ir até lá e talvez pegar a cadeira de rodas. Mas para isso precisava ter certeza de que o professor estava de fato dormindo. Havia também o problema de passar pelo porteiro. Antes de empreender uma aventura como aquela, tinha que entrar no prédio, algumas vezes durante o dia e algumas à noite, e apertar o botão do elevador para o décimo andar, para que então pudesse passar tranquilamente pelo porteiro, cumprimentá-lo e pegar o elevador para o décimo andar sem que ele precisasse interfonar para o apartamento do professor avisando que a senhorita tal estava subindo. O ideal seria aproveitar o dia em que o professor tivesse um daqueles apagamentos que ela já presenciara da janela e subir em seguida. Ou aproveitar uma das saídas dele na hora do almoço e entrar afobada dizendo que ele lhe pedira que pegasse a cadeira de rodas no apartamento. Precisava escolher com cuidado: durante o dia ou à noite... Dependeria de quem fosse o porteiro mais simpático.

14.

Anita acabara de acordar, passara pelo quarto da avó para dar bom-dia, e ainda com a xícara de café na mão chegou à janela da sala para ver se no prédio em frente o professor já estava trabalhando. O olhar foi tão automático que ela não registrou de imediato que havia uma mulher de bermuda e camiseta andando pela sala e que o professor não estava à vista. Depositou a xícara no peitoril e pegou o binóculo que ficava sempre sobre a mesinha perto da janela. Tomou rapidamente mais um pouco do café, segurou o binóculo com as duas mãos e voltou-o para a sala do professor. De fato havia uma mulher de bermuda e camiseta, muito à vontade, passando aspirador de pó. Superado o susto, ela depositou o binóculo sobre a mesa e pegou a xícara para beber o que restava do café. A mulher, jovem ainda, era evidentemente a faxineira. Como nunca vira ninguém fazendo faxina no apartamento, pensou se aquilo era novidade ou se a moça fazia faxina havia muito tempo mas a intervalos longos, talvez uma vez por mês, daí ela não a ter visto até então. E tudo indicava que o professor preferia sair enquanto ela faxinava... pelo menos enquanto ela faxinava a sala, seu lugar de trabalho. Portanto, provavelmente uma vez por mês o apartamento ficava entregue aos cuidados daquela diarista. Interessante. E, ainda pensando na novidade, foi tomar banho e se vestir para o trabalho. Antes de seguir para o metrô, atravessou a rua, parou diante do prédio do professor e disse ao porteiro:

— Bom dia. O professor Vicente já saiu?

— Acho que sim, mas não posso garantir. Peguei no serviço ainda há pouco. Quer que interfone para ele?

— Não precisa, era só para pegar um livro, posso pegar amanhã ou depois. Além do mais, acho que hoje é o dia da faxineira... ele deve ter saído para ela poder trabalhar.

— É isso mesmo. Ele fica incomodado com a faxineira e ela fica incomodada com ele.

— Ainda bem que ela só vem uma vez por mês, se não me engano...

— Isso mesmo, ela vem uma vez por mês. Quer deixar algum recado para ele?

— Não é preciso. Qual é mesmo o seu nome?

— Francisco.

— O meu é Anita, seu Francisco. Volto outro dia.

— Volte mesmo, dona Anita. De qualquer maneira, digo ao professor que a senhora esteve aqui.

— Obrigada.

No metrô, Anita repassava o começo do dia e considerava que não fora nada mal. Tinha o nome do porteiro, o porteiro tinha o nome dela; tornaram-se conhecidos e ela ficara sabendo que a faxineira vinha uma vez por mês. Faltava repetir o sucesso com o porteiro da noite.

Na hora do almoço, devolveu o notebook que alugara e aproveitou para enviar um e-mail ao professor. Talvez o último com a restrição de no reply.

Querido Vicente,

Sinto que está chegando a hora de você se libertar. Talvez a próxima mensagem possa chegar acompanhada do meu endereço eletrônico. E então combinaremos um encontro real e não apenas virtual.

Até breve,

Anita.

O e-mail só seria lido quando ele voltasse para casa, o que aconteceria somente quando a faxineira terminasse de fazer a limpeza no final da tarde. A dúvida agora era: para onde ia o professor enquanto a faxineira limpava o apartamento? Ele não parecia ser desses homens que ficam caminhando pela cidade para fazer hora. Tampouco tinha jeito de quem frequenta museus, cinema à tarde, ou visita amigo ou parente, mesmo porque não parecia ter nem amigo nem parente. Talvez ele não saísse de casa nos dias de faxina, apenas se trancasse no quarto até ela acabar de limpar a sala. Provavelmente, na parte da manhã a sala era dela e na parte da tarde era dele. Isso combinava mais com o jeito recluso do professor. Anita almoçou rapidamente num restaurante por quilo e voltou para a firma.

Depois de almoçar no restaurante de sempre, Vicente retornou ao apartamento, contando que àquela hora a faxineira teria terminado a limpeza da sala. Ainda estava perturbado com as mensagens recebidas da moça que se assinava Anita. "Tenho certeza de que nosso reencontro será muito prazeroso", escrevera ela na primeira ou segunda mensagem. A qual encontro anterior ela se referia indiretamente para falar em "reencontro"? Se o que disse dela mesma, "vinte e oito anos, catarinense, filha de pais alemães", era verdade, a autodescrição não correspondia a ninguém que ele tivesse conhecido nos últimos anos. A única possibilidade era a de Anita ser amiga de alguma ex--aluna da universidade que tivesse se apaixonado por ele na época e comentado com ela sobre ele. Mesmo assim não fazia sentido, ele não era o tipo do professor por quem as alunas se apaixonavam. Ela dizia que tinha apenas vinte e oito anos. Portanto, quando ele saíra da universidade, ela teria dezesseis, e estaria terminando ou já teria terminado o ensino médio. Poderia se tratar, no máximo, de um caso de paixão de aluna por professor, ainda que ela nem tivesse chegado a ser sua aluna, e que teria perdurado na memória dela todo aquele tempo, e poderia ser que por uma coincidência quase impossível ela tivesse vindo a reencontrá-lo nas circunstâncias presentes. Assim que voltou ao apartamento, pegou as cadernetas e a pasta com anotações que já tinha deixado separadas quando da busca de algum registro da suposta aluna Fabiana. Procurou página por página o nome Anita; em seguida, fez o mesmo com os arquivos do computador. Não encontrou nenhuma Anita em lugar nenhum. Anita era mais um fantasma, como Fabiana, só que um fantasma vivo querendo entrar em contato "visual ou tátil" com ele; um fantasma de carne e osso, portanto. A única solução para o que lhe parecia ser um falso enigma era entrar no jogo de Anita e ver até onde ela pretendia ir.

A faxineira (cujo nome ele não conseguia guardar) fechara a porta que ligava a sala ao minúsculo hall com portas para o quarto/banheiro, a cozinha e a área de serviço, o que possibilitava que ele trabalhasse sem ser incomodado.

Continuou a tradução, mas teve de reler as páginas anteriores para retomar o tom do texto original. A partir daí, o trabalho fluiu com relativa facilidade, salvo em determinadas passagens que atiçavam antigos esquecimentos, perturbando a sequência do texto, mas com isso ele já estava acostumado. A emergência das imagens do corpo feminino desmembrado diminuíra a ponto de, dependendo do dia, mais de uma hora se passar sem que aparecesse uma única imagem, o que já era suficiente para permitir um progresso considerável no trabalho, tal como naquela tarde. O avançado da hora foi sinalizado pela entrada silenciosa da faxineira na sala para se despedir. Vicente aproveitou a interrupção para comer um sanduíche acompanhado de café com leite.

Espinosa estava se preparando para sair quando o inspetor Chaves se aproximou.

— Olá, Chaves. Alguma novidade?

— Algumas, delegado, dentre elas uma que me chamou a

atenção. É a respeito dos registros de restos de corpos que eu tinha conseguido levantar e sobre os quais falamos no início da semana: alguns são realmente partes de corpos de mulheres. A novidade é que todos foram encontrados muito perto uns dos outros, na mesma região, perto de Vargem Grande, mais ou menos na confluência da avenida das Américas com a estrada dos Bandeirantes e com a estrada do Pontal, próximo ao Recreio dos Bandeirantes. Essa proximidade dificilmente pode ser atribuída ao acaso. Uma longa extensão da estrada é desabitada e o movimento de veículos é escasso. Encontrar restos mortais de diferentes vítimas jogados ou enterrados a poucos metros uns dos outros, numa área tão grande, supõe o trabalho de uma mesma pessoa ou de um mesmo grupo que escolheu aquele como o seu lugar de desova.

— Você fez um bom trabalho documental. Agora temos de completar com o trabalho arqueológico, o de descobrir o que mais há de material enterrado no local.

— Tem uma coisa que eu ainda não disse para o senhor.

— O quê?

— Lá tem muito jacaré.

— Jacaré?

— Famílias inteiras. Alguns chegam a dois metros. Habitam as lagoas e os canais que ficam à beira das estradas.

— E eles atacam as pessoas?

— Na verdade, preferem os cachorros — respondeu Chaves. E prosseguiu: — Aquela região é um terreno alagadiço, um charco, rico em detritos orgânicos, daí a profusão de jacarés, capivaras, urubus, o que certamente contribuiu para a fragmentação dos corpos, sendo que a maior parte foi devorada pelos predadores naturais do lugar. Na época de chuvas, a água sobe e inunda a estrada. Por isso é uma região com pouca ou nenhuma construção.

— Como é o nome desse lugar?

— Estrada do Rio Morto.

— Não conheço — disse Espinosa.

— É também chamado de canal do Rio Morto ou simplesmente canal do Morto — acrescentou Chaves. — A região é conhecida como local de desova de cadáveres, daí o nome. Os jacarés, urubus e o resto da fauna local se encarregam de eliminar boa parte dos corpos.

— Como, então, esses restos de que estamos falando resistiram ao tempo? — perguntou o delegado.

— Estavam enterrados — respondeu o inspetor —, obra de quem queria não apenas se livrar dos cadáveres, mas também que não fossem encontrados imediatamente.

— E como foram descobertos, se estavam enterrados?

— Durante uma das dragagens feitas pela prefeitura para impedir que a água do canal continuasse invadindo a pista. Não consegui saber se a partir desses achados a busca foi ampliada para áreas vizinhas. Esses ossos foram descobertos por acaso, e não como resultado de uma busca sistemática. Mas consegui a localização exata de onde a ossada foi encontrada.

— Passe os dados para Ramiro e Welber. Vou encarregá-los de fazer um levantamento do local, enquanto você vai pessoalmente ao IML falar com o responsável pela análise do material encontrado.

15.

Na manhã de sexta-feira, Vicente acordou sem sobressaltos e sem a presença de imagens da mulher desmembrada. Tivera uma noite tranquila, sem interrupções e sem necessidade de remédio. O único fato incômodo era o completo esquecimento do que acontecera na véspera e nos dias precedentes. Também não sabia em qual dia estava. Assim que saiu do banheiro, ligou o computador, ele informaria o dia, o mês e o ano, além da hora exata e da condição do tempo. A posse desses dados não alterou em nada a amnésia que o acometera. Tomou o café da manhã como se fosse o primeiro de sua vida, embora ele mesmo o tivesse preparado e identificasse de imediato o gosto e o cheiro do café e do pão. Constatou que o esquecimento dizia respeito aos acontecimentos, e não aos hábitos, assim como não afetava a atividade intelectual. Terminado o café da manhã, sentou-se ao computador e verificou a marcação feita com o post-it do parágrafo do livro de Poe onde interrompera a tradução, e conferiu com o texto do computador. Nem mesmo isso fez com que se lembrasse do momento em que havia parado de traduzir, se na noite anterior ou dois dias antes. Retomou o trabalho como se estivesse pondo para funcionar a máquina do tempo.

Quando passou pela sala, a caminho do trabalho, Anita viu da janela o professor sentado defronte ao computador, por certo traduzindo. Não sabia o que ele traduzia, se era um único livro de um único autor ou se eram vários livros de vários autores. A segunda hipótese era a que mais lhe agradava, já que poderia ser uma tarefa infindável. Caso fosse um único livro, ela precisava descobrir em que ponto ele estava: se no começo, na metade ou na parte final; caso estivesse adiantado, ela teria de encontrar uma maneira de retardar o ritmo da tradução. Mais que isso. Na verdade, teria de impedir que ele concluísse aquela tradução. Nem que fosse para o trabalho ser finalizado por outro tradutor. Essa seria a primeira coisa a ser investigada assim que conseguisse entrar no apartamento do professor, coisa que ela pretendia realizar no fim de semana. Desceu à rua e dirigiu-se para a estação do metrô. Ainda não eram dez horas e ela nem chegara à firma onde trabalhava, mas já pensava na hora de voltar para casa e programar os passos do dia seguinte na direção do território inimigo. E, já que estava concebendo estratégias, era hora de decidir o que fazer, caso não fosse contratada pela firma. Faltava pouco mais de um mês para se completar o período probatório. Economizara quase todo o dinheiro que recebera durante o ano, graças ao abrigo integral dado pela avó. Com o dinheiro acumulado, e continuando a contar com o apoio da avó, poderia se manter sem sufoco até conseguir outro emprego. Mas tudo indicava que seria contratada. Seu alemão impecável e seu tipo físico faziam dela uma perfeita representante da empresa, fosse para sair pelo país vendendo peças para aviação ou para recepcionar e ciceronear os engenheiros e executivos vindos da sede. Mas, independente do que viesse a acontecer no final do seu estágio, tivera início havia poucos dias uma confrontação entre ela e o professor Vicente que não se definira claramente quanto às características que assumiria, as de um encontro amoroso ou as de um desencontro mortal.

Quando voltou para casa à noite, trazia na cabeça um plano, precisava apenas passar no prédio do professor Vicente e perguntar na portaria qual porteiro estaria de serviço no dia seguinte entre dez e meio-dia. Frederico, foi a resposta dada por Francisco, com quem ela falara dias antes.

— Francisco e Frederico, todos os porteiros do prédio têm nomes parecidos? — perguntou Anita, sorrindo.

— Nós somos irmãos. Lá em casa somos quatro irmãos, todos com o nome começando com efe: Francisco, Frederico, Fernando e Fabiano — disse ele, orgulhoso do engenho dos pais.

— Obrigada, Francisco. Não estou dando sorte com o professor Vicente. Amanhã passo aqui para ver se o pego em casa, e aproveito para conhecer o Frederico.

Saiu dali com a certeza de que os quatro efes estavam no bolso, mesmo os que ainda não conhecia.

Assim que entrou em casa, foi ver a avó. O quarto dela dava para a rua, mas ela não conseguia se manter de pé, nem mesmo apoiada no peitoril da janela. Da rua, ela só recebia o ruído constante e incômodo de carros e ônibus. Em compensação, deitada na sua cama Fowler, conseguia descortinar grande parte do morro de São João, com boa extensão de verde. A avó estava quase sentada na cama, recostada em vários travesseiros, olhando para a noite além-morro, enquanto a acompanhante assistia a um programa de televisão.

— Oi, vó, como você está se sentindo?

— Estou bem, minha filha.

— Pensei em fazermos outro passeio amanhã de manhã. Podemos variar um pouco e explorar as lojas da outra quadra.

— Acho ótimo.

— Então está combinado. Amanhã, a partir das dez, nova aventura pela vizinhança.

No sábado, antes mesmo de fazer a higiene matinal, Vicente sentiu as imagens da mulher desmembrada reaparecerem depois de alguns dias de ausência; percebeu também que algumas lembranças dos dias passados surgiram sem que fizesse esforço. Era como uma troca: o retorno da memória ou de parte da memória recente e a reaparição das imagens da mulher morta. Fez uso do banheiro e preparou seu café da manhã enquanto refletia sobre essas recuperações subjetivas. Não notou a moça do apartamento em frente, cotovelos apoiados no peitoril da janela e binóculo nas mãos. Mesmo porque estava mais preocupado com o delegado Espinosa do que com a voyeuse vizinha.

Anita saiu com a avó e a acompanhante exatamente às dez horas, ela empurrando a cadeira de rodas e comentando eventos vários, a acompanhante a seu lado. Foram até a esquina para atravessar a rua no sinal. Na calçada oposta, pegaram a direção do prédio do professor Vicente, onde Anita parou para falar com o porteiro, que veio até o gradeado junto à calçada quando viu a cadeira de rodas.

— Bom dia, o senhor é Frederico, irmão do Francisco?

— Sim, senhora, bom dia, a senhora conhece meu irmão...

— Falei com ele algumas vezes e ele me disse que tinha um irmão chamado Frederico que trabalhava na parte da manhã. Meu nome é Anita e estou passeando com minha avó.

— E está uma bonita manhã para um passeio, dona Anita.

— Pois é, e decidimos passar por aqui para ver se o professor Vicente, do 1001, deixou alguma encomenda para mim... mas talvez ele não tenha acordado ainda.

— A senhora quer que eu interfone para ele?

— Não precisa, ele pode estar dormindo. Eu passo numa outra hora, moramos perto daqui.

— A senhora quer deixar um recado para ele?

— Por favor, diga que Anita esteve aqui.

Retornaram à esquina em que tinham atravessado a rua e a atravessaram de volta.

— Anita, querida, nós já estamos voltando para casa? — perguntou a avó.

— Não, vó, é que neste lado da rua tem a Galeria Menescal, que, além de ser coberta, tem um monte de lojas com vitrines e bastante espaço para circularmos com a cadeira de rodas.

O passeio foi um sucesso. Percorreram todas as lojas, atravessaram a galeria nos dois sentidos mais de uma vez, comeram quibe e esfirra no árabe Baalbeck a ponto de dispensarem o almoço quando chegaram em casa.

No meio da tarde, numa das olhadas para o apartamento do professor, Anita surpreendeu-o saindo; esperou que ele aparecesse na rua, o que aconteceu em seguida; de sua janela, viu-o andar até a esquina e atravessar a rua. Não o viu entrar no pequeno restaurante no edifício vizinho ao seu porque as marquises dos prédios, inclusive o dela própria, impediam. Mas não tinha dúvida de que ele estava ali. Era uma ocasião excelente para ela fazer o teste definitivo: queria saber se ele a reconheceria ou não, ou ainda se fingiria não reconhecê-la. Estava com a mesma roupa de quando fora passear com a avó. Avisou que desceria por uns minutos, e saiu. Passou pela porta do restaurante e viu o professor sentado na segunda mesa das que ficavam em fila junto à parede em frente ao balcão. Ele ainda não fora servido ou talvez nem fizera o pedido, e olhava para a rua. Anita esperou alguns segundos e voltou; parou na porta do estabelecimento como se estivesse verificando se havia mesa disponível e depois fixou o olhar no professor. Estavam distantes um do outro pouco mais de dois metros, impossível que ele não a visse, até o ocupante da última mesa olhava fascinado a mulher prestes a entrar. Anita deu um primeiro passo para o interior do restaurante, agora com o olhar voltado distraidamente para o professor, virou-se para o mostruário de frios e doces em cima do balcão, examinando cada um deles como se fosse fiscal da vigilância sanitária e, satisfeita com a vistoria, voltou-se para o professor Vicente como se ele fosse o tristonho Gregor Samsa. Nenhuma reação da parte dele, a não ser o olhar também distraído que poderia estar direcionado tanto para ela como para o fluir dos veículos na rua Barata Ribeiro. Anita lançou um olhar genérico aos presentes e, para tristeza de todos, exceto talvez para o professor Vicente, deu meia-volta e se foi.

Vicente trabalhara durante toda a manhã sem ser interrompido por nada nem por ninguém, parando apenas no meio da tarde para almoçar. Era estranho o que estava sentindo, a amnésia não afetara o trabalho de tradução, mas dava como efeito secundário uma impressão de esvaziamento interno que não era da ordem da falta, e sim do vazio. Ele não achava que perdera alguma coisa, não era nada semelhante a ter perdido a carteira ou a chave de casa; era como o nome de uma pessoa que ele não conhecia — desta, ele não era capaz de dizer o nome, mas não porque o havia esquecido, e sim porque nunca o soubera —, daí a impressão de vazio e não de falta. Desceu, atravessou a rua no sinal e andou alguns metros até o restaurante onde almoçava diariamente. Cumprimentou o garçom, pediu frango assado com batata frita, como de hábito, e um refrigerante diet. Nada no restaurante ou nos garçons ou mesmo no cardápio lhe causara estranheza. Mas o sentimento de vazio interno, que não dizia respeito a nenhuma dessas coisas, permanecia inalterado, mesmo porque não havia o que alterar, era um vazio sem objeto. Terminado o almoço, pagou a conta e voltou para casa. Quando passou pela portaria, o porteiro se dirigiu a ele:

— Professor Vicente, desculpe, mas, quando o senhor saiu, eu esqueci de dar o recado.

— Qual recado, Frederico?

— Da dona Anita. Ela esteve aqui hoje cedo, pela manhã, com a avó dela na cadeira de rodas, perguntou pelo senhor, mas não me deixou interfonar, disse que o senhor podia estar dormindo. Então eu perguntei se ela queria deixar um recado. Então ela falou assim: "Diz a ele que Anita esteve aqui". E foi embora empurrando a cadeira de rodas.

— Não deixou nada? Nem um bilhete?

— Não, senhor, mas meu irmão Francisco disse que ela já

esteve aqui perguntando pelo senhor, mas não estava com a avó nem com a outra moça.

— Que outra moça?

— A outra moça que veio hoje de manhã. Parecia que era acompanhante da avó dela.

— Você já tinha visto essa dona Anita alguma outra vez? Ela mora aqui no prédio?

— Não, senhor. Nunca vi ela antes.

— E como ela é?

— Ela é uma moça bonita, loura e tem olho azul, parece até artista de televisão.

— Está bem, Frederico. Se ela aparecer aqui de novo, interfone imediatamente para mim, mesmo que ela não peça.

— Sim, senhor. Se soubesse que era importante, eu tinha interfonado.

— Não se preocupe. Você não podia saber que era importante.

Vicente se dirigiu ao elevador, pensando no recado deixado por Anita... que ele não lembrava como era... "é loura e tem olho azul"... "parece artista de televisão"... Subiu para o apartamento e trabalhou o resto do dia, parando apenas às dez da noite para um sanduíche e uma caneca de café com leite. Fez alguns reparos na tradução terminada havia pouco. Deixou-a de lado e pegou os blocos que espalhara pelo apartamento, nos quais fazia anotações de eventos cotidianos. Consultou um por um cuidadosamente em busca do nome Anita ou de qualquer coisa que pudesse ter ligação com ela. A última anotação era da quinta-feira e constava apenas do nome Anita com um risco embaixo, no meio da página. Nenhuma anotação nem nos dias anteriores nem na sexta e no sábado atual. Mesmo com um cotidiano monótono como o seu, era improvável que se passasse uma semana inteira sem que nada fosse digno de registro, mesmo porque ele anotava preferencialmente os eventos menos relevantes do ponto de vista das pessoas comuns; entre um grande desastre com dezenas de mortos e o caso do homem que jogou seus três cachorros do oitavo andar do prédio onde morava, ele anotava o segundo; ou entre um fato A qualquer e o não fato B ele fazia menção ao segundo, isto é, deixava a página em branco, mesmo porque considerava o segundo mais instigante. Se fosse esse o caso da semana sem anotações, significaria que fora uma semana beirando o terror da qual ele não tinha nenhuma lembrança. E, para fechar a semana, quase na mesma hora em que descera para almoçar, teria aparecido uma Anita, que aparecera na véspera, segundo o porteiro, deixando o mesmo recado: "Diz a ele que Anita esteve aqui". Sem dúvida, a mesma Anita dos e-mails. O resto da noite foi tomado pela imagem do corpo desmembrado, enjoo, dor de cabeça, confusão mental, estado que continuou durante todo o domingo com adormecimentos profundos e de curta duração.

No domingo, Anita começou a observar o professor desde cedo. Achava impossível que ele não a tivesse reconhecido no restaurante no dia anterior. Ficara parada o tempo mais que necessário para ele, a dois metros de distância, esquadrinhar todos os recantos da memória até encontrar a outra vez em que estiveram frente a frente e mantiveram um diálogo quase beligerante. Ou, quem sabe, teria sido isso, ele guardara uma imagem ruim daquela mulher exigindo que ele a reconhecesse quando não havia reconhecimento nenhum. A cena seria, para ele, uma repetição da situação anterior, daí sua cara de paisagem ao olhar para ela, sentado à mesa do restaurante, quando todos os presentes também olhavam para ela. Ou talvez ele fosse gay. Mas não. Não era esse o caso. Se fosse, ele não estaria correndo nu atrás de uma mulher nua no seu apartamento, como ela vira algumas semanas antes. Será que ele não a considerava atraente? Mas não era essa a experiência que ela tivera desde que saíra da puberdade... Como também não fora o ponto de vista dos homens que estavam no restaurante... O fato era que ele olhara para ela como se estivesse olhando uma paisagem sem graça. Havia apenas um meio de tirar a prova: subir ao apartamento dele, entrar e perguntar o que significava toda aquela farsa.

O professor chegara em casa pouco depois dela. Ficou parado na sala no ponto de bifurcação das entradas para o quarto, para a cozinha, para o banheiro, cômodos aonde poderia ir sem precisar dar mais de dois passos. Parecia também um pouco tonto, além de indeciso quanto ao lugar onde ficar. Acabou se deitando no sofá da sala... sem antes verificar o computador. O que era um comportamento bastante incomum. Anita continuava com o binóculo apontado para a sala. Como Vicente se deitara ao comprido e com o rosto voltado para a janela, ela podia até mesmo ver se o professor estava com os olhos fechados ou abertos. E pareciam estar fechados. Anita foi ao quarto, trocou o vestido por jeans e camiseta de malha, e o sapato por tênis. Pegou sua carteira de identidade, algum dinheiro e a chave de casa. A avó dormia o sono da tarde, e a acompanhante aproveitava para cuidar da comida e dos remédios da velha senhora. Avisou a ela que iria ao cinema e que voltaria antes do anoitecer. Focalizou o binóculo no professor e constatou que ele estava na mesma posição e com os olhos fechados. Parecia dormir profundamente.

Desceu, atravessou a rua, foi até o prédio do professor Vicente e, assim que tentou abrir o gradeado que protegia a portaria, o porteiro apertou um botão e liberou a entrada. Anita passou sem pressa por ele:

— Boa tarde, Frederico, hoje finalmente consegui pegar o professor em casa. Ele telefonou dizendo que tinha recebido o meu recado. Não sei se o que deixei com você ou o que deixei com seu irmão.

— Foi o meu. Acabei de falar com ele não faz nem meia hora.

— Então ele me telefonou em seguida. Obrigada.

— Não tem de quê, dona Anita.

Anita subiu com a tranquilidade de uma moradora do prédio. Até aquele momento, tudo correra como ela esperava. O difícil, porque imprevisível, era o que viria a seguir. Apertou o botão do elevador para o nono andar, podia acontecer de um morador entrar enquanto ela estivesse subindo. Mas não houve problema, desceu no nono andar sem que ninguém a visse chegar e subir um lance de escada. Colou o ouvido à porta do apartamento 1001 e não ouviu nenhum ruído. Olhou pelo olho mágico, mas viu apenas uma luminosidade difusa. Estava surpreendentemente tranquila. Apoiou a mão na maçaneta e constatou que não tremia nem um pouco. Apertou a maçaneta para baixo e ela cedeu. Empurrou suavemente a porta, que abriu sem fazer ruído e sem disparar nenhum alarme. Estava na soleira, com a sala à sua frente e o professor Vicente deitado no sofá à sua esquerda, os dois pés em cima do sofá, o rosto voltado para a janela, tendo ao fundo a janela do apartamento onde ela e a avó moravam.

Deu um passo sala adentro e viu, atrás da porta, a cadeira de rodas. Não sabia se avançava mais e fechava a porta ou se fazia um ruído com a boca para despertar o professor. O que não queria que acontecesse era que alguém chegasse pelo elevador ou de um dos apartamentos e a visse ali em pé, sem ninguém à sua frente. A cadeira estava fechada e apoiada na parede sobre as duas rodas. Segurou-a pelo guidom e sentiu que estava solta e leve. Puxou-a e foi saindo do apartamento com a cadeira. Fechou a porta da sala e empurrou a cadeira até o elevador de serviço. Esperou o elevador chegar, entrou e apertou o botão da garagem. Chegando à garagem, subiu a rampa que levava à rua e experimentou a porta. Estava trancada. Olhou para as paredes laterais e viu um interruptor pintado de verde. Apertou o botão e a porta deu um estalo, liberando as duas bandas. Anita abriu manualmente uma delas e saiu empurrando a cadeira para a calçada, fechou a porta da garagem e continuou tranquilamente empurrando a cadeira. Não fora vista nem por moradores nem pelo porteiro, que continuava sentado à sua mesa, assistindo a um programa de tarde de domingo na televisão, despreocupado com quem pudesse sair a pé pela porta da garagem, como costumavam fazer as empregadas dos apartamentos. Para chegar ao seu prédio, bastava Anita atravessar a rua e andar alguns metros. O que ela fez como se estivesse empurrando um carrinho de compras. Em casa, guardou a cadeira de rodas no seu quarto, dobrada atrás da porta. Caso alguém perguntasse alguma coisa, diria que era a cadeira de reserva da avó.

Feito isso, voltou à janela, pegou o binóculo e focou a sala do professor. Nenhuma alteração. O professor Vicente continuava dormindo no sofá. De fato, para ele nada acontecera. Passado algum tempo, dias ou semanas, ele daria pela falta da cadeira. Talvez até ficasse em dúvida quanto à realidade da cadeira faltante, o que não modificaria em nada o seu cotidiano.

Na manhã da segunda-feira, antes de ir para o trabalho, Anita desceu com a cadeira de rodas e foi até a portaria do prédio do professor Vicente. Frederico, o mesmo porteiro que estava de serviço na manhã de sábado, quando ela passara por lá com a avó, assim que a viu apertou o botão que destrancava a porta e se apressou em ir ajudá-la.

— Bom dia, Frederico.

— Bom dia, dona Anita. Deixa que eu ajudo a senhora com isso.

— É a cadeira de rodas do professor Vicente. Estou atrasada para o trabalho. Você me faria o favor de entregar a cadeira para ele? Basta dizer que foi Anita quem deixou aqui.

— Claro, dona Anita. Daqui a pouco eu levo ela e entrego pra ele.

— Obrigada. Não sei se eu conseguiria... além de já estar atrasada.

— Não se preocupe, dona Anita. Ela está entregue.

16.

Minutos depois, Frederico subiu com a cadeira e tocou a campainha do apartamento do professor Vicente.

— Bom dia, professor. Vim entregar sua cadeira de rodas.

— Cadeira de rodas?

— É, professor, sua cadeira de rodas.

— Eu não uso cadeira de rodas.

— Ela estava no quarto de guardados no terraço. Eu mesmo trouxe ela para cá. Me lembro que fiz uma limpeza nela e enchi os pneus.

— E por que você a trouxe para cá?

— Porque ela é sua. Tinha até uma etiqueta com seu nome e o número do apartamento.

— E onde está essa etiqueta?

— Estava aqui, olha. — O porteiro abriu a cadeira e virou-a de costas para Vicente. — Está vendo essa mancha mais clara?

Na parte de trás do encosto, havia de fato um retângulo perfeitamente delineado onde o marrom do couro estava mais claro que o do resto do encosto, um retângulo do tamanho e do formato de uma etiqueta que, segundo o porteiro, identificava aquele objeto como sendo de Vicente quando depositado no quarto de guardados do prédio.

— E de onde você trouxe a cadeira agora?

— De lugar nenhum. Dona Anita passou na portaria e pediu para eu entregar a cadeira para o senhor... porque ela estava atrasada.

— Dona Anita? Que dona Anita?

— A que esteve aqui no sábado com a avó na cadeira de rodas, como era cedo ela achou que o senhor podia estar dormindo. Disse que passava mais tarde. Passou agora de manhã.

— E quem é essa Anita?

— Ela esteve aqui outro dia... Falou com meu irmão... É uma moça loura muito bonita. Disse que é sua amiga. Eu pensei que a cadeira era da avó dela.

— Trata-se de um grande engano. Nunca tive nem usei cadeira de rodas, e não conheço nem tenho nenhuma amiga chamada Anita.

— E o que eu faço com a cadeira? — perguntou o porteiro.

— Ponha aqui atrás da porta. Depois penso onde guardá-la.

— Se o senhor quiser, podemos botar no lugar onde ela estava.

— Por enquanto, vamos deixá-la aqui, à mão. Talvez eu a venda.

— E se dona Anita perguntar se eu entreguei a cadeira pro senhor?

— Diga que ela está enganada... que eu nunca tive cadeira de rodas... e que não conheço nenhuma Anita.

Vicente fechou a porta e encaminhou-se para o computador. Havia um aviso da caixa de mensagem assinalando a chegada de um e-mail. Ainda perturbado com o episódio do porteiro, abriu o e-mail. Havia de fato uma única e curta mensagem:

Recebeu a cadeira?
Com carinho,
Anita.

Vicente foi tomado por uma forte dor de cabeça seguida de enjoo. Levantou-se e andou, um pouco tonto, até o banheiro, onde permaneceu alguns segundos sem saber exatamente o que fora fazer lá. Devido ao enjoo, achou que fosse vomitar. Ergueu o tampo do vaso sanitário e ficou esperando. O vômito não veio. Ainda na dúvida sobre o que fora fazer lá, abriu o armarinho de remédios e pegou o frasco de analgésicos. Engoliu ali mesmo dois comprimidos com água da pia, retornou à sala e se deitou no sofá. Imediatamente a imagem da mulher desmembrada surgiu, ocupando todo o campo da consciência como um gigantesco indoor. Continuava tonto e sonolento, oscilando entre a vigília e o sono e entre a imagem da mulher morta e a imagem da cadeira de rodas ou de múltiplos corpos desmembrados e várias cadeiras de rodas. Quando saiu daquele estado, havia passado muito tempo da hora do almoço. Não sentia mais dor de cabeça e as imagens ameaçadoras deixaram de aparecer com a mesma intensidade e a mesma frequência de antes. Voltou ao banheiro, lavou o rosto, escovou os dentes para eliminar o gosto ruim que sentia na boca, e desceu para almoçar. Até então ainda não tinha se lembrado do episódio da cadeira de rodas com o porteiro e do que ele contara sobre Anita. Foi somente quando voltou para casa e viu na tela do computador o e-mail com os dizeres: "Recebeu a cadeira? Com carinho, Anita" que a figura do porteiro e a cadeira de rodas ressurgiram, mas isoladamente, fora do contexto... mesmo tendo os dizeres do e-mail na tela à sua frente. A mensagem não fazia nenhum sentido para ele, o único efeito que produzia era o enjoo. Era final de tarde e Vicente não conseguia se lembrar do que acontecera até aquele momento. Tinha uma vaga ideia de ter descido para almoçar e de ter falado com o porteiro, mas não era capaz de dizer o que comera no almoço nem o que conversara com o porteiro. Dirigiu o olhar para a tela do computador, e lá estava a mensagem de Anita perguntando se ele recebera a cadeira... E ele não sabia a que cadeira ela se referia... Olhava em torno e não via nenhuma cadeira nova... assim como não sabia quem era Anita.

Trabalhou na tradução como se estivesse copiando um texto em lugar de traduzir. Não se deu conta disso senão uma hora depois de ter começado. Releu toda a parte traduzida, revendo cuidadosamente cada parágrafo e fazendo as correções necessárias. O enjoo foi diminuindo no transcorrer da tradução a ponto de, por volta das dez da noite, ele sentir necessidade de comer alguma coisa. O que tinha na geladeira era o de sempre, pão preto, queijo, geleia e leite. Foi o seu lanche noturno.

Manhã do dia seguinte. Vicente tomava café quando o telefone tocou.

— Professor Vicente?

— Sim.

— Bom dia, professor, meu nome é Teresa, sou atendente da 12ª DP. O delegado Espinosa pergunta se o senhor pode passar aqui na delegacia, antes do meio-dia, para tirar uma dúvida sobre o pedido que o senhor fez.

— Tirar uma dúvida sobre o pedido que eu fiz?

— Isso mesmo, professor.

— Não me lembro de ter feito nenhum pedido.

— Não se preocupe, professor. É coisa rápida. Pode ser a qualquer hora antes do meio-dia.

— Está bem, passarei aí antes das onze.

Ainda não eram nove e meia. Enquanto terminava o café, Vicente pensava no pedido que teria feito e sobre o qual o delegado Espinosa queria tirar uma dúvida. Tomou banho, fez a barba e se vestiu ainda pensando no pedido e na dúvida. Às dez e meia se apresentou no balcão de atendimento da delegacia. A atendente Teresa falou com o delegado pelo telefone interno e encaminhou o professor Vicente ao gabinete de Espinosa, que o esperava à porta.

— Bom dia, professor, desculpe tê-lo incomodado no começo da manhã.

— Incômodo nenhum, delegado. Posso dispor à vontade do meu horário.

— Pedi ao inspetor Welber que estivesse presente à nossa

conversa para o caso de eu precisar recorrer a alguns dados de que ele dispõe.

— Estou curioso sobre sua dúvida relativa a um pedido que eu teria feito — disse o professor Vicente.

— Não se trata propriamente de uma dúvida, mas de uma informação: o senhor alguma vez esteve nas redondezas do Recreio dos Bandeirantes ou de Vargem Grande?

Vicente ficou em silêncio, como se estivesse processando uma informação extremamente complexa.

— Vargem Grande, não sei onde fica. Recreio dos Bandeirantes, sei que fica no final da praia da Barra da Tijuca.

— Correto. A região de Vargem Grande fica bem próxima — acrescentou o delegado.

— Estive no Recreio dos Bandeirantes, no final da praia da Barra, com minha amiga Paula, há um mês mais ou menos.

— Vocês foram de carro?

— Sim, fomos no carro dela.

— Sei... Foram a passeio ou foram visitar alguém?

— Fomos almoçar num restaurante muito simpático que tem lá.

— O senhor se lembra do nome do restaurante?

— Não. Nós não estávamos procurando um restaurante específico, mas um que fosse agradável e perto da praia, e aquele foi o mais agradável que encontramos.

— Isso foi num fim de semana ou num dia comum... de trabalho?

— Foi num dia de semana, quer dizer, num dia de trabalho.

— O senhor não acha que foram muito longe para almoçar num restaurante que apenas fosse agradável, com tantos restaurantes agradáveis na orla marítima?

— De fato, achei que estávamos indo muito longe, mas Paula estava falante e, quando se deu conta, já estávamos no Recreio dos Bandeirantes.

— Isso num dia comum de semana?

— Acho que foi numa quinta-feira, que é dia de aula dela na

praia Vermelha, mas nesse dia por alguma razão não houve aula. Aproveitamos para almoçar fora do campus.

— O senhor já tinha estado naquela região antes? Com ou sem a professora Paula?

— Não. Nem com ela nem sem ela. Como eu não dirijo nem tenho carro, raramente saio dos limites de Copacabana.

— E há mais tempo, há dez anos, por exemplo?

— Eu sofro de amnésia. Minha memória de longo prazo é muito comprometida... Atualmente, também a memória de curto prazo está afetada. Não sou capaz de dizer se há dez anos eu estive em determinado lugar.

— O senhor se lembra do que comeu nesse almoço?

— Lembro que o restaurante só tinha peixe.

— E de lá vocês foram para onde? Perdoe-me a indiscrição.

— Voltamos para Copacabana.

— Os locais conhecidos como canal do Morto ou canal do Rio Morto, um canal que corre paralelo à estrada do Rio Morto, perto da estrada do Pontal em Vargem Grande, lembram alguma coisa ao senhor?

— Só o nome Recreio dos Bandeirantes. É onde fica o restaurante em que almoçamos.

— Vocês voltaram lá alguma vez?

— Não. Desde aquele dia não vejo a Paula nem ela me telefona.

Espinosa olhou para Welber.

— Alguma pergunta, inspetor?

— Só uma, delegado. Professor Vicente, o senhor disse que, quando saíram do restaurante, voltaram para Copacabana. Para onde, precisamente, em Copacabana?

— Ela me deixou em casa, na rua Barata Ribeiro.

— Deixou na portaria?

— Não. Ela entrou com o carro na garagem e subimos os dois para o meu apartamento.

— A que horas ela foi embora?

— À noite. Não sei a hora.

— Desde então o senhor não teve notícias dela?

— Exato. Foi a última vez que a vi. Tampouco consegui falar com ela por telefone.

— Vocês brigaram?

— Não. Nós nunca brigamos. Ela é a única amiga que mantenho desde o tempo em que era professor na Faculdade de Letras.

— Obrigado, professor Vicente.

Quando Vicente já estava na porta, Espinosa o chamou:

— Professor... uma última pergunta. O senhor alguma vez já viu um jacaré?

— Só no...

— Sim?

— Só no Jardim Zoológico... quando eu era menino... acho...

— E apesar da amnésia o senhor se lembra de uma experiência tão remota?

— Não sei se é realmente uma lembrança, delegado, pode ser imaginação.

Vicente deixou a delegacia com a impressão de ter esquecido alguma coisa. Quando já estava entrando em casa, deu-se conta de não ter perguntado qual pedido ele, segundo a atendente, teria feito ao delegado. Saíra também sem perguntar por que o interesse no passeio que ele e Paula fizeram, e, finalmente, o porquê da pergunta bizarra sobre o jacaré. Vicente não sabia se o delegado Espinosa era um simplório capaz apenas de voos rasos e perguntas bizarras ou se aquele jeito displicente ocultava uma inteligência acurada e perigosa. Preferiu ficar com a segunda hipótese.

Quando ligou o computador, havia mais uma mensagem de Anita.

Querido Vicente,

Você não respondeu ao meu último e-mail. Não notou que ele traz nele mesmo o meu endereço? Agora podemos trocar mensagens e você poderá ficar sabendo quem sou e como sou. Garanto que não vai se arrepender.

Com carinho,

Anita.

17.

A reunião que o delegado Espinosa combinara fazer às sextas-feiras com Welber e Ramiro, seus auxiliares mais próximos e mais antigos, ficara marcada, naquela sexta, para as onze horas. Tanto Welber como Ramiro eram portadores de novidades. Na hora marcada, os três estavam reunidos no gabinete do delegado.

— Novidades? — perguntou Espinosa.

— Algumas, delegado, mas curiosas — disse Welber. — Inicialmente, nós nos separamos e cada um ficou encarregado de metade dos apartamentos do prédio do professor, mas logo nas primeiras visitas vimos que as pessoas, principalmente as mulheres, ficavam assustadas quando abriam a porta e se viam diante de mim ou do Ramiro, com a carteira e o distintivo na mão, dizendo que éramos da polícia, mesmo quando pedíamos ao porteiro para avisar que estávamos subindo. Decidimos então fazer as visitas em dupla. Perdemos a divisão de tarefa, mas ganhamos em confiança.

— Fizeram isso com o porteiro avisando que vocês eram policiais?

— Sim. Dizíamos a cada morador que éramos aqui da 12ª DP, seus vizinhos, e que não tomaríamos mais que dez ou quinze minutos deles.

— A mudança de estratégia funcionou. Foi ideia do Ramiro — acrescentou Welber.

— Começamos perguntando a cada um se conhecia o professor Vicente, morador do apartamento 1001. Alguns diziam não conhecer o professor, outros o conheciam apenas de vista, outros nem sabiam que ele era professor, mas todos achavam que ele era esquisito. "Esquisito, como?", perguntávamos. Respondiam que ele não falava com ninguém, apenas dava bom-dia e boa-tarde, evitava subir ou descer no elevador junto com outros moradores... O único que falou bem dele foi o síndico. Disse que o professor sempre fora gentil, educado no trato com os porteiros e demais empregados do prédio, apesar de parecer sempre assustado ou ameaçado quando alguém se dirigia a ele. Não incomoda os vizinhos, não dá festas, não ouve som alto nem de música nem de televisão, mora sozinho e não recebe visitas. "É um solitário, estamos sempre atentos a ele por causa da doença", disse o síndico. Quando perguntamos qual doença, ele não soube responder, disse que às vezes ele tem desmaios, convulsão "mas não é epilético, é uma doença que tem um nome difícil, parece russo". Por isso ele deixa a porta do apartamento sempre destrancada quando está em casa... para o síndico ou o porteiro poderem entrar.

— Tem também a história da cadeira de rodas — disse Ramiro.

— Cadeira de rodas? — perguntou Espinosa.

— Ele não usa cadeira de rodas, mas mantém há mais de dez anos uma cadeira de rodas no quarto de guardados do prédio. Como foi preciso fazer uma pequena obra no quarto, o síndico pediu para os moradores retirarem durante uns poucos dias suas malas e objetos, entre eles a cadeira de rodas do professor Vicente, mas, quando o professor foi comunicado, negou enfaticamente que tivesse alguma cadeira de rodas, até que o porteiro tirou a cadeira do quarto e mostrou ao professor a etiqueta com o nome dele e o número do apartamento. Mesmo assim, ele continuou negando que a cadeira fosse dele. Apesar disso, a cadeira foi limpa, os pneus foram cheios e, depois de pronta para o uso, ela foi entregue ao professor, que passou a guardá-la na sala, atrás da porta de entrada. Há poucos dias, uma mulher jovem, loura e muito bonita passou na portaria e entregou a mesma cadeira ao porteiro, pedindo que a entregasse ao professor Vicente, no apartamento 1001. O porteiro reconheceu imediatamente a cadeira, tinha sido ele que limpara e enchera os pneus, e foi ao apartamento entregar a cadeira ao professor... que ficou indignado, dizendo que a cadeira dele estava atrás da porta, e abriu-a um pouco mais para mostrar ao porteiro, quando constataram ambos que não havia cadeira nenhuma ali. O professor Vicente ficou ainda mais indignado e perguntou quem havia entregado a cadeira na portaria. O porteiro respondeu que tinha sido dona Anita. Nesse momento, parece que o professor teve um dos ataques, ou quase teve um, segurava a cabeça com as duas mãos e pedia os remédios... O porteiro entrou com a cadeira, colocou-a atrás da porta e ajudou o professor a se deitar no sofá. Pegou o frasco de remédio que sabia onde ficava guardado, e entregou-o junto com um copo de água nas mãos do professor.

— Continua você, Welber — disse Ramiro.

— Acontece que, quando entrevistamos o porteiro, ele havia nos contado essa história. Disse que a mulher que chegou com a cadeira tinha passado por ali dois dias antes, na companhia de uma senhora em cadeira de rodas, dizendo que era a avó dela, e perguntara se o professor estava em casa. Como eram dez horas da manhã, o porteiro achou que o professor poderia estar dormindo, com o que a mulher concordou imediatamente e disse que passaria mais tarde. E de fato passou, dessa vez com a cadeira para devolver ao professor. No entanto, alguns dias antes, quando estávamos visitando separadamente os moradores da vizinhança (Ramiro passava os prédios do lado do professor Vicente e eu passava os prédios do lado oposto da rua), no prédio em frente ao do professor, no apartamento 1101, entrevistei uma senhora muito simpática e sua acompanhante; perguntei se morava mais alguém com elas, e a senhora respondeu que sim, sua neta, mas que ela já era uma mulher-feita, muito bonita, que às vezes a levava para passear e ver o movimento das lojas e dos supermercados. Achei supersimpática a ideia da neta, passear com a avó empurrando sua cadeira de rodas pelas galerias e supermercados para diverti-la. Quando o síndico do prédio do professor me contou a história da moça que foi devolver a cadeira, liguei imediatamente uma coisa à outra.

— E eu acabo de ligar tudo isso a outra história — disse Espinosa. — O professor me telefonou há dias perguntando se eu o havia posto sob vigilância da polícia. Quando perguntei por quê, ele respondeu que tinha uma mulher que o observava o tempo todo, de binóculo, de uma janela do prédio em frente, de um apartamento um andar acima do dele. Respondi que não havia campana montada para ele nem haveria motivo para tal; disse que devia se tratar de uma voyeuse solitária. Ora, se de fato tem uma mulher vigiando o professor, deve ser a mesma que furtou e depois devolveu a cadeira de rodas. Somente ela, com seu binóculo, saberia que o professor guardava uma cadeira de rodas na sala. Quando sairmos para almoçar, podemos passar pela portaria do prédio e perguntar se a mulher loura moradora do apartamento 1101 se chama Anita.

E foi o que fizeram.

Ramiro e Welber foram reconhecidos pelo porteiro como sendo os policiais que estavam entrevistando os moradores.

— Sim, senhor, o nome dela é dona Anita. Ela não estava em casa quando os senhores vieram.

Os três agradeceram e continuaram andando em direção à trattoria que ficava na mesma quadra.

— O que leva uma mulher jovem, bonita, solteira ao que tudo indica, a ficar observando o vizinho com idade para ser pai dela e a entrar no apartamento dele para furtar uma cadeira de rodas e devolvê-la intacta dias depois? — perguntou Espinosa, enquanto caminhavam pela calçada da avenida Copacabana.

— Talvez o fato dele ter idade para ser pai dela? — indagou Welber.

— Ou o fato dele ser um escritor solitário, enclausurado em seu apartamento, que escreve o dia todo sem parar, e todos os dias da semana? — acrescentou Ramiro.

— Ou alguma coisa que ela viu naquele apartamento — completou Espinosa, quando já entravam na trattoria.

— O que não consigo entender é o que essa moça tem a ver com a história das mulheres "assassinadas" pelo professor Vicente. O nome dela nem sequer consta da lista que ele me deu.

— Além dele jurar que nunca viu e nem sabe quem é essa Anita que envia e-mails para ele e rouba sua cadeira de rodas — disse Welber.

— Aliás, ainda não sabemos por que o professor Vicente tem uma cadeira de rodas junto à porta de entrada do apartamento.

O restaurante estava lotado, mas uma mesa vagava naquele instante. Logo que fizeram os pedidos, a conversa derivou para assuntos não policiais. Era um trato entre eles não discutir assuntos criminais ou administrativos durante as refeições. Quando terminaram e pagaram a conta, falaram sobre quem entraria em contato com Anita para esclarecer alguns dos pontos obscuros da história. Espinosa achava que não devia ser ele. A moça era muito nova, morava sozinha com a avó idosa e cadeirante, ficaria assustada e intimidada se fosse procurada pelo delegado titular da delegacia de polícia. O mais provável era que se recolhesse e se mantivesse na defensiva. Welber argumentou que o delegado em pessoa daria um tom mais formal ao encontro, além de ter talvez a mesma idade do professor e provavelmente do pai dela.

— Se o senhor permitir — disse Welber —, posso acompanhá-lo até a porta do apartamento para ela sentir a presença de alguém que já esteve lá conversando com a avó dela. Apresento os dois e volto para a delegacia.

— Está bem, mas não precisa nos deixar, pode ficar e participar da conversa — disse Espinosa. — Assim posso fazer referência ao fato dela ter cometido um delito, o furto da cadeira de rodas, mas também dizer que ela pode nos fornecer alguma informação importante sobre o professor Vicente, já que tem por hábito observar, munida de binóculo, o seu dia a dia. E ainda posso abordá-la não somente como delegado de polícia, mas também como um homem da mesma idade do professor Vicente e, quem sabe, quase da mesma idade do pai dela. Pode ser que funcione.

Um pouco antes das cinco, Welber passou na portaria do prédio de Anita.

— Olá, inspetor, quer falar de novo com dona Regina? — perguntou o porteiro.

— Apenas com a neta, Anita, ela estava no trabalho quando entrevistei a avó. Mas hoje quem vem conversar com ela é o delegado.

— Dona Anita ainda não chegou, mas deve estar chegando a qualquer momento.

— Ótimo. O delegado gostaria de falar com ela sem que ela estivesse prevenida, poderia se assustar, prefiro telefonar antes e perguntar se ela está disponível para me receber por alguns minutos.

— Tudo bem, inspetor. Acho que o senhor está certo, ela pode mesmo ficar assustada com a presença do delegado.

— Acontece que não tenho o telefone dela.

— Sem problema, inspetor. Tenho aqui a lista de todos os moradores e o telefone de cada um.

O porteiro puxou uma gaveta e ali pegou um caderno de capa dura; do meio do caderno, retirou uma folha com a lista dos moradores.

— Aqui está. Apartamento 1101, dona Regina, é o nome da avó dela. O senhor tem onde anotar o número?

Welber já estava com a caderneta e a esferográfica na mão. Anotou o número do telefone e também o nome do porteiro, Fernando, que não havia anotado na primeira visita.

— Se o senhor ligar às cinco e meia, ela já deve ter chegado.

— Obrigado, Fernando. Não precisa avisar que eu estive aqui.

Welber voltou à delegacia e ligou para casa. Selma, sua mulher, atendeu de imediato.

— Oi, querido, achava mesmo que você ia ligar.

— Por quê?

— Intuição.

— Então acertou. Talvez eu me atrase para o jantar. Vou acompanhar o delegado numa entrevista às seis horas, não sei quanto tempo vai demorar, mas devo estar em casa por volta das sete.

— Isso não é atraso.

Welber morava a uma quadra da delegacia e costumava fazer as refeições em casa. Selma cuidava da dieta do casal, livre de sal e gordura, e preparada com ingredientes escolhidos por ela. Tinha horror a que o marido recorresse às lojas de fast-food, o que acontecia às vezes, dependendo das circunstâncias.

Às cinco e meia, Welber ligou para o número dado pelo porteiro.

Atendeu uma voz de mulher, jovem e firme, o que excluía a avó, mas não sua acompanhante. Welber arriscou uma abordagem informal:

— Dona Anita?

— Sim, mas sem o "dona".

— Quem está falando é o inspetor Welber da 12ª DP. Entrevistamos os moradores de dois prédios da Barata Ribeiro, um defronte ao outro, e tive o prazer de conversar com sua avó há três dias, mas você não estava. Ela me disse que você trabalha durante o dia e que costuma chegar em casa por volta das cinco e meia.

— Ela me falou da conversa que vocês tiveram.

— É uma pessoa encantadora, foi um prazer falar com ela, mas preciso falar também com você, o quanto antes, e, como você trabalha durante o dia, imaginei que poderíamos conversar quando chegasse. Daí eu estar ligando a essa hora. Sei que você deve estar querendo descansar, mas é muito importante, peço apenas meia hora do seu tempo.

— Tudo bem, inspetor. Pode vir agora. Seu nome é Welber, não?

— Isso mesmo. Mas tem um detalhe, o delegado Espinosa também quer conversar com você. Eu irei com ele para apresentar os dois.

— O delegado em pessoa?

— Não se assuste. Ele é uma pessoa muito agradável. Estaremos aí em cinco minutos.

Demorou um pouco mais de cinco minutos, porque, quando estavam saindo, o delegado recebeu um e-mail contendo informações sobre os cadáveres achados no canal do Rio Morto. Passou rapidamente os olhos na mensagem, mandou imprimir e deixou para ler após o encontro com a vizinha do professor Vicente.

Minutos depois, tocavam a campainha do apartamento 1101, sendo recebidos na porta pela própria Anita. O inspetor e o delegado foram pegos de surpresa. Anita percebeu que ambos gostaram da recepção.

— Boa tarde, sou o delegado Espinosa e este é o inspetor Welber. Obrigado por nos receber tão prontamente.

— Nenhum problema, é um prazer. Vamos sentar junto à janela. Pelo que minha avó contou, a entrevista está ligada ao prédio fronteiro — disse isso, e olhou para o apartamento em frente, onde o professor Vicente, naquele instante, digitava no computador.

— É naquele apartamento que você está interessado? Posso te tratar por "você"? — completou Anita.

— A resposta é sim para ambas as perguntas. Estamos interessados não propriamente no apartamento, mas no morador. Vocês se conhecem?

— Eu o conheço, mas ele não me conhece... ou diz que não conhece.

— Como é isso? Acho difícil um homem te conhecer e fingir que não conhece.

— Ele não finge, ele afirma que nunca me viu; no entanto, já falamos um com o outro na porta do apartamento dele, além de já termos nos encontrado pelo menos duas vezes na rua. Mas podemos considerar que ele realmente não me conhece.

— E por que ele nega te conhecer?

— A impressão que tenho é que ele não registra o fato de ter estado comigo. A conversa que tivemos no primeiro encontro, eu diria que foi beligerante. Na segunda vez que nos falamos, ele foi ríspido e seco, porque eu dizia que tínhamos nos falado, ali, naquele mesmo lugar, na porta do apartamento dele, e ele afirmava nervoso que nunca tinha me visto, que não sabia meu nome nem por que eu tocara a campainha do apartamento dele. E fechou a porta na minha cara. Por isso eu considero que ele não me conhece ou realmente não me conhecia até eu tocar a campainha do apartamento dele, me apresentar e dizer que morava no apartamento defronte ao dele, do outro lado da rua, que o via passar dia e noite digitando num computador, sem sair de casa, sem receber nenhuma visita, sem falar no telefone, saindo apenas para almoçar no restaurante em frente. E que comecei a imaginar o que aquele homem tanto escrevia, parecia uma história sem fim, tipo *As mil e uma noites*. Resolvi então bater à sua porta, me apresentar e perguntar se ele era escritor e se estava escrevendo um romance. Ele respondeu um tanto raivoso que não era escritor, era tradutor. Na minha opinião, ou se trata de uma forma grave de amnésia ou de negação psicótica, ou ele é um mentiroso patológico.

— E essa sua insistência em vigiá-lo com binóculo, dia e noite?

— Não é dia e noite, delegado, eu não fico dia e noite na janela, munida de binóculo, bisbilhotando a vida do professor. Eu o observo principalmente à noite. Isso começou desde o dia... ou a noite, se preferir... em que me dei conta de que, toda vez que olhava para a janela iluminada do apartamento em frente, via a figura de um homem sentado ao computador digitando sem parar até meia-noite, uma ou duas da madrugada. Passei a observar também, ainda sem binóculo, que, quando eu saía para trabalhar, às dez da manhã, ele já estava sentado digitando. Como fico fora de casa das dez às cinco, imaginei que digitasse o dia inteiro, o que foi confirmado quando constatei que ele trabalhava aos sábados, domingos e feriados, ou seja, todos os dias. A única pessoa que vi, além dele, naquele apartamento foi a faxineira. A única não, houve outra vez, faz muito tempo, em que fui surpreendida por uma cena bizarra: o professor corria pelo apartamento atrás de uma mulher, ambos completamente nus, ela abrindo e fechando a boca, sem que eu pudesse distinguir se estava gritando ou rindo. Só posteriormente vim a saber que o apartamento tinha vidraças duplas à prova de som. A cena de perseguição sexual durou um tempo razoável para um espaço tão reduzido, parecia uma cena combinada. Finalmente, numa das passagens pelo quarto de dormir, eles entraram e lá ficaram. Poucos dias depois, vi o professor abrir a porta para duas mulheres. Pensei: agora a brincadeira de pega-pega vai ser com duas. Larguei o binóculo, peguei minha bolsa e desci a toda, atravessei a rua, o porteiro dele já me conhecia, tomei o elevador e toquei a campainha do 1001. Ele abriu tranquilamente a porta, mas permaneceu na soleira, barrando o caminho. Foi quando me apresentei e disse que era sua vizinha do prédio em frente, que o via trabalhando ininterruptamente, e perguntei se ele me convidava a entrar para conversarmos um pouco. Ele respondeu que estava trabalhando, e que tinha um prazo para entregar o texto, e que esse prazo estava se esgotando. Foi quando eu cometi o erro de perguntar sobre as duas mulheres que tinham acabado de entrar. "Que mulheres?", estranhou ele. "As duas que entraram", respondi. "Nenhuma mulher entrou aqui agora." Foi quando ele se mostrou indelicado, quase grosseiro, e disse para eu me retirar e não perturbá-lo senão ele daria parte à polícia. E cá está a polícia querendo falar comigo.

— É verdade, mas não para atender nenhuma queixa dele. Não vim para interrogá-la nem para fazer uma investigação preliminar. Vim aqui para pedir sua ajuda, porque você é a única pessoa que tem acesso privilegiado ao comportamento doméstico dele sem que ele tenha conhecimento disso. A cena do professor perseguindo a mulher, ambos nus, provavelmente não foi vista por mais ninguém. Você seria capaz de descrever a mulher?

— Em linhas gerais. Era alta, corpo enxuto, não era tipo violão, quadris estreitos, pelos pubianos abundantes, cabelos escuros e encaracolados, braços e pernas longos sem ser magricela; não dá para dizer se era bonita de rosto, eu ainda não tinha o binóculo.

Notando que Welber olhou para os lados como que à procura do binóculo, Anita abriu a porta de uma cristaleira antiga, retirou da prateleira de baixo o binóculo que comprara havia pouco mais de dez dias e o entregou ao delegado Espinosa.

— Ah! Um binóculo excelente.

— Comprei de um alemão que vende aparelhos óticos usados. Dê uma olhada no apartamento do professor.

A luz da sala estava acesa e o professor parecia estar digitando no computador. Espinosa ajustou o foco e mirou no homem, que, totalmente alheio à campana, era vítima dócil do olhar do delegado.

— É impressionante. Dá para ver detalhes do rosto.

— Olhe agora para a porta da sala — disse Anita.

— O que tem a porta? — perguntou Espinosa.

— A porta, nada, mas olhe à direita dela. O que você vê encostada à parede? — indagou Anita.

— Uma cadeira de rodas? — arriscou Espinosa.

— Não *uma* cadeira de rodas, mas *a* cadeira de rodas. Esse é um dos mistérios do nosso professor. Ele não tem nenhuma deficiência física e mantém em casa uma cadeira de rodas como se fosse uma ambulância particular.

— Vai ver, é uma ambulância particular — disse Welber. — Um veículo em que ele possa ser retirado do apartamento e conduzido ao atendimento mais próximo.

— No caso dele ter um infarto, por exemplo?

— Ou qualquer coisa de igual gravidade... Talvez ele tenha sofrido um acidente do qual não tenha nenhum registro consciente.

— Como é que você sabe disso?

— Eu não sei. É apenas uma conjetura — disse Espinosa.

— Mas voltando à cena da perseguição da mulher nua — continuou o delegado. — Você não tornou a ver essa mulher no apartamento dele, nua ou vestida?

— Não. Nunca mais. Mas também não faz tanto tempo assim. Ela pode ter viajado, pode ter ficado doente...

— Pode ter morrido...

— Morrido? — perguntou Anita.

— Outra suposição, apenas — acrescentou o delegado.

— Mas por que fazer uma suposição dessas?

— Para me desfazer dela se não me for útil.

— Gente esquisita, vocês são, os policiais, quero dizer.

— Temos de ser, senão ficamos paralisados diante de tanta esquisitice.

— Como o quê? — quis saber Anita.

— Como o professor, por exemplo.

— Então, foi o que chamou minha atenção naquela janela sempre acesa quando as demais já estavam apagadas havia horas.

— Mas você também estava acesa, para poder constatar isso.

— Nem sempre; às vezes, quando me dava sono, eu ia dormir e ele continuava digitando, e várias vezes aconteceu de na manhã seguinte eu olhar para a sala dele e encontrá-lo sentado ao computador. Claro que ele não atravessara a noite digitando, depois de ter digitado o dia todo. Mas a cada olhar eu achava aquele homem mais esquisito. Sobretudo depois de ter topado com ele na saída de um supermercado e ele ter praticamente fugido de mim calçada afora. Ele não só anda, como anda muito bem e rápido, para quem tem uma cadeira de rodas estacionada junto à porta... e mora sozinho.

— E o que mais você viu de esquisito ou de extraordinário se passar naquela sala?

— Já vi um dos porteiros entrar no apartamento, suponho que sem tocar a campainha, encontrar o professor deitado no sofá da sala, ficar alguns minutos olhando para ele, se aproximar para ver se estava respirando e sair em seguida.

— Por que você supõe que ele não tocou a campainha?

— Porque ele entrou sem que ninguém lhe abrisse a porta e não trazia nenhum chaveiro na mão, assim como não retirou nenhum do bolso quando saiu. Foi então que percebi que a porta do apartamento ficava aberta o tempo todo quando o professor estava em casa, estivesse acordado ou dormindo. Foi isso que me encorajou a entrar um dia no apartamento, pegar a cadeira de rodas, trazer para casa e ficar com ela um ou dois dias, e depois levá-la de volta e pedir ao porteiro o favor de entregá-la ao professor, com os agradecimentos de Anita.

— Por que você fez isso?

— Para provar a ele que eu não sou um fantasma. Fantasmas não furtam cadeiras de rodas.

— Você correu o risco de ser autuada por furto. Artigo 155 do Código Penal Brasileiro, pena de reclusão de um a quatro meses mais multa.

— Mas eu devolvi a cadeira — disse Anita, sem se impressionar.

— Sim, depois de levá-la para casa e ficar com ela um ou dois dias.

— Mas...

— Mas você não vai fazer mais isso. Ninguém deu parte, e eu não ouvi quase nada do que você disse devido ao barulho dos ônibus da rua. E eu te aconselho a ser discreta no uso do binóculo. Uma coisa é você ocasionalmente observar os morros, os prédios distantes, o movimento nas calçadas... Outra coisa é acampanar diariamente o seu vizinho fronteiro.

— Eu só queria me aproximar, fazer amizade... Ele tem idade para ser meu pai.

— Tudo bem, mas uma coisa que talvez você não saiba é que o professor sofre de um distúrbio chamado síndrome de Korsakov, uma forma de amnésia que deixa falhas, verdadeiros buracos na memória, que ele procura tamponar com histórias inventadas que passam a fazer parte de sua história pessoal real. Acontece de às vezes ele precisar tornar realidade a história inventada, mesmo que ela não seja agradável. Entendeu? — contou Espinosa.

— Acho que sim, a mensagem é: tome cuidado que ele pode se tornar perigoso.

— Exato.

— Mas você acha mesmo que ele pode ser uma ameaça?

— Acho que não vale a pena pagar para ver.

— Está bem. Vou tomar cuidado.

— De qualquer maneira, fique com meu cartão, tem o número da delegacia e o do celular. Pode ligar a qualquer hora do dia e da noite, para a delegacia e para o celular — disse Espinosa, estendendo-lhe o cartão.

Quando o delegado e seu auxiliar saíram, Anita ficou pensando qual seria o verdadeiro objetivo daquela visita. Uma advertência legal? Não faria sentido o delegado titular da delegacia e seu principal assistente irem à casa dela para fazer uma advertência que, na verdade, nem sequer chegou a ser feita; o delegado Espinosa apenas mencionou a existência da lei, e para isso não havia necessidade da presença dos dois. Uma advertência para sua segurança e integridade física? Também não fazia sentido. Se ela realmente estivesse correndo perigo, o delegado seria mais explícito e sugeriria certas proteções. Tampouco parecera que ele houvesse ido em pessoa à casa dela para colher informações sobre o professor que morava do outro lado da rua. Talvez tivesse ido vê-la apenas... para vê-la.

Esta última suposição era, sem dúvida, a mais interessante. O delegado era um homem bonito e bastante charmoso. O inspetor Welber era também bonito e bem mais jovem, mas não era charmoso. O delegado Espinosa tinha uma vantagem sobre o inspetor: era solteiro, pelo menos não usava aliança, enquanto o inspetor era casado e usava uma aliança que ainda brilhava de tão nova. Resultado da análise: o inspetor poderia ser dispensado, ao passo que o delegado poderia, com prazer, tornar-se alvo de "Anita, a caçadora", que era como ela denominara a si mesma desde que comprara o binóculo. Achava uma pena a delegacia ficar na outra rua e não no prédio fronteiro. Gostaria de poder observar o delegado mais amiúde e mais detalhadamente... tão detalhadamente como ele olhara para ela (embora com muita discrição) durante a conversa que acabaram de ter.

O passo seguinte seria descobrir onde morava o delegado Espinosa e como chegar até ele... tal como chegara até o professor Vicente.

18.

O professor Vicente registrara no bloco de notas a conversa que tivera com o delegado Espinosa no início da semana. Os lapsos de memória eram cada vez mais frequentes, não bastassem as irrupções das imagens da mulher desmembrada, mas isso não havia como registrar — ainda não tinham inventado impressoras que copiassem em papel nossas imagens psíquicas da mesma forma como imprimiam imagens de uma máquina fotográfica. Claro que ele podia fazer o registro descritivo da imagem, mas esse registro seria feito com palavras, e não com imagens. Podia também fazer um registro narrativo através de um gravador de som, porém ainda assim estaria registrando palavras, faladas e não escritas, mas palavras. Achava mais prático registrar por escrito, manualmente, nos blocos. E era o registro escrito da conversa que tivera com o delegado Espinosa que ele estava procurando naquele momento. Sabia que tinha alguma coisa a ver com jacarés, com corpos e restos de corpos, mas isso era tudo de que se lembrava. Depois de folhear vários blocos espalhados pela casa, descobriu o que buscava. Teve dificuldade em encontrar, porque não punha título nas anotações, apenas a data, precisamente o que mais esquecia. Passaria agora a pôr a data e um título curto. Leu rapidamente o que anotara, mas não achou nada de importante; havia apenas uma pergunta bizarra que o delegado deixara para o final do encontro: "O senhor alguma vez já viu um jacaré?". Por que aquela pergunta? Seria algum tipo de brincadeira? Que tipo de delegado era aquele? Sem dúvida, um homem educado, atencioso, incapaz de usar de violência, e sério a ponto de se tornar engraçado, como no caso daquela pergunta.

Era comum o delegado Espinosa chegar um pouco mais tarde nas manhãs de segunda-feira quando passava o fim de semana com Irene. Ele entrou na delegacia e encontrou Welber descendo a escada com várias folhas impressas na mão e uma expressão de desconsolo no rosto.

— Bom dia, Welber. Você não parece muito contente.

— Bom dia, delegado, e não estou nada contente mesmo.

— Que aconteceu?

— Aconteceu que, quando Chaves nos entregou a lista com os registros e laudos do IML referentes às ossadas encontradas no canal do Rio Morto, ela continha apenas os registros dos anos de 2000 a 2003, que foi de fato o que nós pedimos a ele. O que nós não levamos em conta foram cadáveres e ossadas encontrados fora desse período e longe do canal do Rio Morto, e que foram enterrados como indigentes. Esses teriam apenas um número e a indicação do local onde foram sepultados. Acontece que os cemitérios que aceitam ossadas e corpos de indigentes não são campos muito extensos, de modo que não podem manter os corpos e as ossadas enterrados por um período maior que três ou quatro anos; assim, findo esse período, eles são exumados e os restos são enviados para o ossário, o que torna quase impossível a localização e identificação passados alguns anos. Se levarmos em conta que nem sabemos se a pessoa que estamos procurando está viva ou morta, se é real ou imaginária, nossa chance de encontrar a ossada da suposta vítima do professor é praticamente nula.

— Está certo. Mas confesso que não tinha muita esperança

de achar um corpo que fosse identificado como sendo de mulher, e que pudéssemos encontrar alguma relação entre esse corpo e a Fabiana do professor Vicente. O máximo que podíamos pretender era descobrir, no período em questão, o desaparecimento de outras mulheres cujos nomes constassem da lista do professor. Mas nem mesmo um achado como esse poderia ser tomado como indício indubitável de que essas mulheres tivessem sido vítimas fatais do professor. Queríamos encontrar algo que justificasse o tempo que estávamos perdendo com ele e, também, saber se ele pode representar alguma ameaça ao próximo — disse Espinosa.

— Então...

— Então, continuo acreditando que a memória do professor Vicente é como uma estrada malconservada, com grande quantidade de buracos, alguns capazes de engolir um carro, o que a torna perigosa e, em certos trechos, intransitável; o professor Vicente é o operário que, solitariamente e com uma máquina de asfalto já danificada pela própria estrada, preenche os buracos refazendo sua suposta continuidade. Não o vejo como um indivíduo perigoso, o que vejo como perigosa é a sua memória.

No meio da tarde, a delegacia recebeu um telefonema da secretária da Faculdade de Letras querendo falar com o inspetor Welber ou com o inspetor Ramiro. Welber atendeu.

— Inspetor Welber?

— Sim.

— Aqui quem fala é Celina, da secretaria da Faculdade de Letras.

— Pois não.

— O senhor esteve aqui na secretaria procurando pela professora Paula.

— Isso mesmo, dona Celina.

— Vou passar o telefone para ela, inspetor.

— Um momento, dona Celina, vou transferir a ligação para o delegado Espinosa.

Em poucos segundos, Espinosa atendeu do seu gabinete:

— Dona Celina, obrigado por esperar, pode passar a ligação para a professora.

— Boa tarde, delegado. Aqui é a professora Paula. Soube que o senhor estava à minha procura.

— É verdade, professora, precisava confirmar com a senhora alguns dados sobre o professor Vicente Fernandes.

— Vicente Fernandes?

— Isso mesmo.

— Desculpe, delegado, mas não conheço nenhum professor Vicente Fernandes.

— Professor Vicente Fernandes, seu colega, tradutor, que mora na rua Barata Ribeiro, em Copacabana... A senhora esteve com ele há poucos dias... almoçaram juntos no Recreio dos Bandeirantes.

— O senhor está enganado, delegado. Não conheço nenhum professor Vicente Fernandes nem tenho nenhum colega com esse nome, e nunca almocei no Recreio dos Bandeirantes.

— Ele foi aposentado da universidade há mais ou menos dez anos, por motivo de doença, atualmente tem cinquenta anos.

— Trabalho na Faculdade de Letras há exatos dez anos. Pode ter acontecido de termos sido apresentados e de termos frequentado o mesmo departamento durante uma semana ou um mês e nunca mais nos termos visto. O fato é que não me lembro de nenhum professor Vicente Fernandes. Tenho uma vaga lembrança de ter sido apresentada, logo que cheguei, a outra professora Paula, não lembro se Maria Paula ou Ana Paula, que foi transferida para outro departamento logo em seguida.

— A senhora é capaz de descrever essa professora?

— Já passou muito tempo... Eu a vi poucas vezes... Lembro apenas que era uma moça bonita, que tinha o cabelo encaracolado. Claro que, depois de todo esse tempo, ela deve estar diferente.

— Obrigado, professora Paula. A senhora poderia me dar o número do seu telefone para o caso de eu precisar falar novamente com a senhora?

— Pois não, delegado. Vou lhe dar o do fixo e o do celular.

Espinosa desligou e se deparou com Welber olhando para ele, mudo mas com os ouvidos atentos.

— Não conhece nem nunca ouviu falar de nenhum professor Vicente Fernandes.

— E ela...

— ... conheceu uma professora Paula cuja descrição coincide com a que o professor Vicente faz da professora Paula atual. Provavelmente ela foi transferida para a Escola de Comunicação na mesma época em que o professor Vicente foi aposentado.

— E as histórias que ele contou em detalhes, os encontros no teatro de arena da universidade e os almoços com a professora Paula, a ida ao Recreio dos Bandeirantes e a noite com ela no apartamento dele, o carro que ela estacionou na garagem do seu prédio, o namoro ou quase namoro que tiveram dez anos atrás, quando ambos eram professores... é tudo mentira? — perguntou Welber.

— Pode ser tudo fruto da imaginação, mas, contadas por ele, essas histórias viraram acontecimentos — disse Espinosa.

— Mas não deixam de ser mentiras!

— Ele nunca foi mentiroso. O que você está tomando por mentiras são narrativas que se incorporaram à memória dele como se tivessem realmente se passado tal como contadas por ele.

— Delegado, acho isso complicado. Para mim, ele está mentindo.

— Duas coisas podem ter acontecido. Uma é ele ter fabulado tudo isso e assumido como real; outra é ele ter realmente vivido tudo isso com outra mulher a quem ele passou a tratar de Paula e incorporado à sua história pessoal. Nenhuma das duas situações é falsa ou mentirosa.

— E o que podemos concluir disso?

— Podemos admitir como verdadeira a declaração que ele nos fez da síndrome de Korsakov de que é portador. Ao que tudo indica, essa síndrome afeta a sua memória, mas não afeta diretamente a inteligência e o pensamento lógico. Daí, sua fala ser perfeita, a lógica do pensamento ser consistente, isto é, não apresentar contradições internas, o que lhe permite argumentar conosco com perfeita clareza. O problema surge quando vamos confrontar sua narrativa com a realidade... Pode ser que não exista nenhuma Paula tal como ele a descreve; mais ainda, é possível que a tal Fabiana nunca tenha existido a não ser na fantasia ou no delírio dele. É provável que Fabiana seja apenas uma habitante da caderneta dele... Ela não é feita de carne e osso, não é um corpo humano real, passível de ser morto, esquartejado e atirado aos jacarés. Mas Fabiana tampouco é uma mentira que ele nos conta, trata-se de uma fantasia dolorosa que ele quer a todo custo expulsar da sua consciência. O que podemos concluir disso tudo é que é muito mais difícil nos livrarmos dos cadáveres produzidos pela nossa imaginação do que de cadáveres reais que já enterramos.

19.

Na terça-feira, antes de sair para o trabalho, Anita enviou mais uma mensagem ao professor Vicente e ficou esperando que ele abrisse sua caixa de e-mails. Demorou mais de meia hora para ele notar que havia um novo e-mail. Anita não se preocupou em acompanhar com o binóculo o efeito da mensagem. Apenas se escondeu atrás da cortina e ficou observando por uma fresta. A reação foi a mesma da vez anterior. O professor aproximou o rosto da tela e leu a mensagem até o fim. Olhou bruscamente para a janela, mas não podia perceber ninguém atrás da cortina do apartamento do outro lado da rua. Voltou o olhar para a tela do computador e leu mais uma vez o texto.

Querido Vicente,

Por que você não respondeu ao meu último e-mail? Nele você dispunha de meu endereço e podia responder sem nenhum risco de ser invadido (já tenho o seu e-mail).

Outra coisa que também não entendi foi por que você fingiu não ter me visto quando parei a menos de dois metros de distância de você na porta do restaurante onde você almoçava e fiquei quase um minuto olhando diretamente para você sem receber nenhum sinal de sua parte de que estava me vendo.

Dias atrás, quando toquei a campainha do seu apartamento, pergun-

tei por que você não me convidava a entrar. Você disse: "Porque você é
perigosa".
Não entendi a resposta. De que você tem medo?
Com carinho,
Anita.

Pelo modo como ele voltara o olhar bruscamente para a janela assim que terminou a leitura da mensagem, Anita inferiu
que Vicente fizera a ligação entre a moça que ele vira na porta
do restaurante, a moça que batera à porta do seu apartamento e
a moça que o espionava da janela do prédio em frente, e Anita,
a moça que subscrevia as mensagens enviadas por e-mail.

Mas Anita não estava interessada nas possíveis reações do
professor a essa revelação súbita. Já estava pronta para sair,
despediu-se da avó e da acompanhante, e deixou seu apartamento sem olhar para o dele. No metrô, a caminho do trabalho,
pensava no jogo de pega-esconde que estabelecera com o professor Vicente e que agora passara a contar com a supervisão do
delegado Espinosa e do inspetor Welber da 12ª DP. Segundo o
delegado, ela já tinha cometido um delito penal. Anita achava
que havia um certo exagero na advertência de Espinosa, mas
polícia é polícia, melhor não brincar com ela.

Já chegara à conclusão de que o delegado era bonito e charmoso; o inspetor era também bonito, mas não charmoso; e o
professor Vicente era mais bonito e atraente que o inspetor,
mas não tanto quanto o delegado Espinosa. Concederia ao professor mais uma semana. Caso continuasse com aquela história
de fingir desconhecê-la e outras bobagens do tipo, congelaria a
imagem dele naquela caverna envidraçada e o trocaria pelo
delegado Espinosa.

A função de trainee na firma tomava todo o seu horário de
expediente, mas o cumprimento das tarefas não exigia dela
nenhum esforço excessivo. Era inteligente, adaptava-se com
rapidez a novas funções, não temia desafios e tinha uma presença que encantava a todos. Acreditava que seu tempo como

trainee seria abreviado e que provavelmente seria contratada pela firma. Não pretendia se casar antes dos trinta anos, e jamais se casaria por impulso, o que no seu entender significava casar-se por apaixonamento. Se todos concordam que a paixão é cega, por que iniciar uma relação de tamanha importância na cegueira? Anita admitia que a paixão pudesse ser o condimento temporário na relação do casal, mas nunca seu fundamento. Além do mais, paixão é algo que se sofre e não algo que se exerce, não é uma ação, é um padecimento, bom para alimentar o sentimento religioso, mas ruim para manter um casamento. O metrô estava chegando à estação Cinelândia. Daquele ponto em diante o trajeto seria feito a pé.

De um só golpe, Vicente fizera a ligação entre a remetente dos e-mails; a moça que ficara parada na porta do restaurante olhando para ele; a que tocara a campainha do seu apartamento e ficara esperando ser convidada a entrar; a que encontrara no supermercado olhando para ele e em seguida vira sair apressada; e, finalmente, a que o espiava de binóculo do apartamento em frente. A figura da moça, por sinal muito bonita, cada vez que Vicente a via tinha a impressão de tê-la visto antes, mas não sabia onde nem quando, foi preciso que as ocasiões se repetissem para ele fazer a ligação; o mais difícil fora a relação entre a Anita de carne e osso e a Anita dos e-mails. Essa ligação, entre várias representações ocorridas em dias diferentes, era difícil para ele fazer, sua memória recente era frágil. Acontecia com frequência de esquecer onde almoçara na véspera ou mesmo se almoçara, como havia se esquecido completamente do episódio da cadeira de rodas retirada do quarto de guardados do prédio e limpa pelo porteiro. No entanto, lembrava-se dos e-mails enviados por Anita, embora não se lembrasse da figura de Anita. A questão com que se defrontava agora era o que fazer com Anita, que tinha idade para ser sua filha e beleza para escolher o homem que quisesse. Por que aquela insistência incansável nele, que não era jovem como ela, não era bonito, não era rico — o que seria fácil de ela perceber — e que só fazia afastá--la? Aliás, naquele momento perguntava a si mesmo por que recusara todas as tentativas de aproximação que ela fizera? A resposta que tinha de imediato era: porque não percebera que eram "todas", como tampouco não percebera que eram "aproximações", exceto o que dizia respeito ao conteúdo dos e-mails, ali se tratava de palavras e não de imagens.

Registrou no bloco de notas aquelas observações e as conclusões a que chegara, deu ao conjunto o título "Anita" e datou--o. Em seguida, abriu o e-mail que Anita enviara naquela manhã, clicou em "responder" e digitou:

Anita,
Quando quiser, estarei à sua espera.
Abraço,
Vicente.

Enviou a mensagem e anotou o conteúdo na mesma página do bloco em que fizera o registro "Anita".

Voltou ao último conto ("The Gold Bug") da primeira parte do livro dedicada a contos, e decidiu manter a tradução do título ("O escaravelho de ouro"). Sua ideia era, terminada essa primeira parte, fazer uma leitura geral e enviar à editora antes de iniciar a segunda, dedicada aos poemas.

No final da tarde, começo da noite, recebeu a resposta ao e-mail que enviara pela manhã:

Querido Vicente,
Fiquei feliz com seu convite.
Se estiver bom para você, podemos jantar numa trattoria aqui perto,
na rua Fernandes Mendes (partindo do meu prédio, basta dobrar a

*primeira esquina à direita em direção à praia), muito agradável e
acolhedora.*

*Se marcarmos às sete, podemos escolher a melhor mesa. Caso esteja
de acordo, espero você amanhã, às sete, na portaria do meu prédio.*
Carinho,
Anita.

Vicente acordou na quarta-feira com a novidade da descoberta ou realização de Anita. Refletiu sobre a palavra "realização". Não mais imaginação ou ficção, mas realização. Não ainda
a realização plena, esta só se daria quando logo mais à noite
estivessem frente a frente. Somente então o nome Anita dos e-
-mails se juntaria ao corpo e à fala de Anita, formando uma
Anita completa e não disjunta, pensou ele, real. Essa reflexão
não provocou o surgimento de nenhuma imagem do corpo
desmembrado, o que poderia ser o indicativo de que as imagens atormentadoras seriam substituídas por imagens de um
corpo real e vivo. A expectativa do encontro não o intimidou,
apenas aguçou sua curiosidade quanto ao interesse da jovem
alemã por ele. Preparou o café e deixou para tomar banho e se
barbear à tarde, mais próximo do encontro. Trabalhou toda a
manhã e parte da tarde com apenas um curto intervalo para o
almoço. Como não sabia se depois do jantar eles viriam para o
seu apartamento, tratou de arrumar o quarto, trocar lençóis e
fronhas, verificar se a sala estava em ordem e se havia alguma
bebida no armário e refrigerantes e cerveja na geladeira. Uma
hora antes do horário marcado, já estava de banho tomado,
barba feita, e vestido para o encontro, que teria início às sete, do
outro lado da rua.

Vicente desceu faltando dois minutos para as sete, mas,
quando chegou à calçada e olhou para o prédio de Anita, viu que
ela não estava na portaria. Considerou que ainda teria de andar
até a esquina para atravessar no sinal e em seguida voltar até o
prédio dela. Quando completou essa volta, encontrou Anita à

sua espera na portaria, tal como haviam combinado. Ela usava um vestido de alças, leve e muito simples, que insinuava sensualmente todas as curvas do seu corpo, e calçava sandálias baixas de couro trançado. Foram andando de mãos dadas como dois adolescentes em começo de namoro até o restaurante, a meia quadra dali. Tal como Anita havia suposto, a trattoria ainda tinha algumas mesas para duas pessoas junto à janela. Escolheram a mais agradável e se deram conta de que ainda estavam de mãos dadas; sentaram-se de frente um para o outro.

— De um lado a outro de uma rua para de um lado a outro de uma pequena mesa: uma bela mudança — disse Anita.

— Graças a você e a um momento de lucidez de minha parte — completou Vicente.

— E eu posso saber qual foi esse momento de lucidez?

— Você vai achar estranho, mas foi o momento em que percebi que a bela mulher que vi parada na porta do restaurante olhando para mim, a jovem que bateu à minha porta dizendo algo que eu não entendia, a pessoa que me olhava do edifício em frente e a Anita que me enviava e-mails enigmáticos eram uma só e mesma pessoa. E a surpresa maior: o fato dessa pessoa ser você.

— Por que demorou tanto para juntar as partes desse quebra-cabeça tão simples?

— Porque, em lugar de usar a inteligência, insisti em usar a memória, por pura preguiça.

— E qual o problema de usar a memória?

— Nenhum, para quem tem uma memória normal... coisa que eu não tenho.

Anita não sabia se tomava aquilo como um modo de dizer, apenas, ou se levava a sério, como sugeria o tom da resposta de Vicente. Também não sabia se devia insistir no tema ou se o esperava falar, se fosse esse o caso. E ele falou.

— Nós não sabemos nada um do outro a não ser o que podemos captar pelo olhar e pelo escutar. Antes que algumas coisas pareçam estranhas para você, preciso te contar uma coisa, as demais são decorrentes dessa. Eu padeço de um transtorno neurológico chamado síndrome de Korsakov, cujo sintoma principal é a amnésia de curto e de longo prazo. Como esse quadro cria lacunas de memória, ocorre a confabulação, que é a tentativa do doente de preencher essas lacunas com imaginações e ficções aparentemente verossímeis, nas quais ele próprio passa a acreditar. Essa foi a razão de eu não ter sido capaz de juntar numa só totalidade os seus múltiplos aparecimentos sob diferentes formas.

Anita acompanhava cada frase, cada palavra, com absoluta atenção:

— Mas como pode um professor, escritor, tradutor bilíngue...

— Meu transtorno não é dos mais graves, e ele não afeta a inteligência, o pensamento lógico. Pelo menos é o que acho. Acredito que o mecanismo pelo qual perdemos a palavra não é o mesmo pelo qual perdemos a imagem ligada a ela, como tampouco implica a perda da sintaxe, da lógica que liga as palavras. Mas essa não é uma conversa para um primeiro encontro, eu apenas não podia deixar de te pôr a par disso.

— Isso não me perturba nem assusta — disse Anita com voz calma.

— Mas fale sobre você. Quem é Anita? O pouco que sei é que é linda, filha de pais alemães, loura de olhos azuis, nascida em Santa Catarina, e que mora no prédio defronte ao meu.

— Isso é tudo. Não há nada mais — respondeu Anita com um sorriso.

— Isso foi o que você me disse por e-mail.

— Eu não disse que era linda.

— Esse era o não dito do e-mail — continuou Vicente. — A pergunta que eu fiz foi "Quem é Anita?". Todos nós temos uma parte visível, apreensível ao olhar do outro, e temos uma parte não visível, não capturada facilmente pelo olhar distraído. Não estou falando da nossa face oculta, essa é o que em nós é invisível e indizível até para nós mesmos. Não é esse invisível indizível que estou pedindo de você, mas o que ainda é um não dito porém dizível e um não visto porém visível, ou seja, o mundano de cada um de nós.

— Puxa vida, eu não sou tão interessante assim.

— Então me diga se prefere refrigerante, chope ou vinho.

— Prefiro chope.

Vicente chamou o garçom, pediu dois chopes e escolheram a massa.

A conversa se alternou da narrativa de Anita sobre sua vida e sobre o curto período em que ela observou Vicente trabalhar no apartamento dele para a narrativa de Vicente sobre a última década que se seguiu ao seu afastamento da universidade.

— Eu fazia a fantasia que você estava escrevendo uma narrativa do tipo *As mil e uma noites* e que, quando terminasse de escrevê-la, eu morreria. Claro que não levava isso a sério, mas a verdade é que a vontade que eu tinha era de entrar no seu apartamento para verificar o que você estava escrevendo. Na minha fantasia, eu era a Sherazade e, como você escrevia todos os dias o dia todo, eu pensava que a data da minha morte estaria próxima.

— Eu não sou escritor, sou tradutor, e estou traduzindo os contos e a poesia de Edgar Allan Poe. Não se preocupe que você não vai morrer quando eu terminar a tradução. No caso de Poe, quem morre cedo é ele próprio.

— Por favor, não diga isso.

— Não se preocupe, não sou autor, sou tradutor, e tradutor não morre no fim da história, morre antes da história começar. Ele tem que se fazer de morto, invisível, seu nome só aparece numa página interna, uma única vez, sem destaque e sem referência pessoal. Apenas uns poucos ganham destaque, chegando a ter o nome na capa, nada mais que isso.

Depois de uma pausa, Vicente perguntou:

— E seu trabalho, como ele é?

— Eu estudei engenharia e, assim que me formei, comecei a trabalhar numa empresa alemã que fabrica peças para aviação e que no Brasil tem representantes em Porto Alegre, Belo Horizonte e aqui no Rio de Janeiro. No momento, estou estagiando na filial do Rio. Faz um ano, e acho que devo ficar mais uns meses. Depois não sei para onde vou.

O garçom já havia trazido novos chopes, e agora chegava com os pratos de massa.

— Você faz suas refeições sempre no restaurante que fica ao lado do meu prédio? — indagou Anita, enquanto o garçom punha na mesa molho extra e queijo ralado.

— Na verdade, faço apenas uma refeição por dia, o almoço composto de frango assado com batata frita, e à noite como sanduíche de queijo e frios, acompanhado de café ou refrigerante, e como também uma fatia de torta de maçã.

— Sempre o mesmo cardápio no almoço e no jantar?

— Às vezes, mando acrescentar arroz ao almoço; o jantar praticamente não varia.

— Não enjoa de comer sempre a mesma coisa?

— Não. Uma vez encontrado aquilo de que eu gosto, minha tendência é me manter ligado a ele.

— Para sempre?

— Para sempre só se for uma apfelstrudel.

Como Vicente dissera aquilo com o semblante sério, Anita não sabia se sorria ou se permanecia também séria; concentrou--se no penne all'arrabbiata. Passados alguns segundos, Vicente perguntou:

— O que você esperava me observando todas as noites?

— Não foram todas as noites, apesar de terem sido muitas. Mas não sei responder a essa pergunta. Começou como curiosidade pelo quadrado amarelo da sua janela contra o escuro da noite. Uma impressão puramente estética. Quando percebi que havia um homem naquela sala; um homem que eu não tinha percebido por causa da sua imobilidade até o momento em que você se levantou para fazer alguma coisa; a partir desse momento, a impressão estética se transformou num quadro misterioso. O que fazia aquele homem solitário, noite após noite, sozinho numa sala à luz de um abajur? Foi quando notei o computador. Foi uma sequência de momentos, cada um compondo um quadro, sendo que o quadro final era carregado de mistério: o que escrevia aquele homem? Um romance? Uma tese? Uma narrativa interminável? Daí a ideia das *Mil e uma noites*... Não havia nenhuma finalidade naquela minha observação, ela não tinha um objetivo, mas o incrível foi que me peguei um dia procurando um binóculo numa loja de objetos de ótica usados. Quando o dono da loja me disse que o binóculo era de fabricação alemã e que fora usado pela Wehrmacht, me pareceu que ele estava predestinado a mim e ao meu desígnio. Só que não havia desígnio nenhum, a menos que fosse um desígnio inconsciente. O fato foi que comprei o binóculo.

— E então?

— Então não aconteceu nada, a não ser que passei a te ver mais de perto.

De sobremesa, Anita pediu sorvete de pistache, no que foi seguida por Vicente.

Voltaram pelo mesmo caminho por onde vieram, e se despediram na portaria do prédio de Anita depois de ela agradecer o jantar e dar um beijo rápido em Vicente, que completou seu caminho de volta sem entender o que acontecera de errado.

Fez questão de entrar em casa sem olhar para o prédio em frente a fim de verificar se Anita o observava. Podia parecer uma atitude infantil, birra de criança, bastava voltar os olhos para a janela, mas recusou-se ao gesto de rendição. Durante o jantar ele falara sem parar. Anita também falara, mas não tanto quanto ele. Sua fala excessiva não fora devida ao nervosismo, fora apenas para fazer o tempo passar mais depressa. Tudo o que queria era voltar para casa com Anita, e não, ao chegarem à portaria do prédio dela, receber um beijo inocente e o agradecimento protocolar pelo jantar. E os e-mails amorosos com sugestões eróticas? E os meses de observação sistemática? E a invasão do apartamento e o sequestro da cadeira de rodas? Qual o objetivo desses atos? Pura provocação? A única resposta que lhe ocorria no momento era a de que Anita desgostara de sua pessoa. Talvez a diferença de idade tivesse pesado... Talvez as pessoas tivessem olhado para eles como se fossem pai e filha, ou, pior ainda, como se fossem um velho rico com a amante de aluguel. Voltar para casa sozinho, depois de tudo o que se passara, era mais que uma rejeição momentânea, era uma recusa escancarada, algo como um tapa na cara em lugar do beijo de despedida. Melhor seria o tapa na cara. Aliás, foi a resposta dada por Anita quando ele lhe perguntou o que acontecera depois de ela ter comprado o binóculo: "Não aconteceu nada, a não ser que passei a te ver mais de perto".

Ao ligar o computador na manhã seguinte, viu um aviso de novos e-mails. Afora os spams, havia apenas uma mensagem pessoal:

Querido Vicente,
Perdoe-me por tê-lo deixado só.
Comecei a me sentir mal no final do jantar (nada a ver com a comida ou com o jantar em si) e, quando passamos pela minha portaria, tive que subir para o apartamento. Não havia tempo para esclarecimentos.
Estraguei o jantar que eu mesma havia proposto e pelo qual esperara com anseio.
Prometo compensar esse encontro com outro mais simples e mais íntimo. Pode ser na noite de sábado ou de domingo no seu apartamento. Basta você concordar. Deixe o resto por minha conta.
Com carinho,
Beijo,
Anita.

Ideias carregadas de aceitação e de repúdio atravessavam a mente de Vicente, entrechocando-se e formando turbilhões que impossibilitavam o mais simples raciocínio. A única lembrança que restara do jantar da véspera fora o fato de terem falado o tempo todo, ele e Anita, mas não lembrava o assunto de nenhuma das conversas. Não podia sequer tentar localizar o motivo de Anita ter preferido voltar para a casa dela. Essa era a razão de evitar novas amizades, não tinha controle sobre o que reter na memória; a vantagem, talvez única, dos e-mails era que eles ficavam salvos na memória do computador, passível de ser consultada a qualquer momento. Perguntava a si mesmo o que acontecia com sua memória quando boa parte das lembranças se perdia por inteiro sem que fatores externos, como álcool, drogas, traumas físicos, pudessem ser apontados como causa; ou mesmo fatores internos, como traumas psíquicos. Acontecia, porém, de ser ainda mais difícil apontar estes últimos como causa, dado que não somente destruíam as lembranças como destruíam os sinais de terem feito isso. Essa era a única explicação para o completo desaparecimento de partes consideráveis da sua memória, ele não apenas esquecia grande parte dos fatos vividos como também esquecia que esquecera.

Mas essa conjetura em nada contribuía para a recuperação do que fora perdido. A única solução possível era o preenchimento desses buracos mnêmicos com novas lembranças, próteses mnêmicas para as partes amputadas de sua vida pessoal. Assim, a única possibilidade de tamponar a perda do que fora conversado durante o jantar com Anita seria aceitar a proposta que ela lhe fizera de um lanche no domingo seguinte, no apartamento dele.

Sentou-se ao computador e digitou um e-mail para Anita aceitando sua proposta para o domingo. Somente então olhou para a janela procurando a imagem da vizinha na janela em frente, mas ela não estava lá. Esperou alguns minutos, mas nada aconteceu, nem sequer uma luz foi acesa em algum cômodo do apartamento dela. Voltou-se para o texto e retomou a tradução daquilo que Anita imaginara ser *As mil e uma noites*. Se ela era a Sherazade, quem seria ele? O rei que iria matá-la? Não podia acreditar que Anita fugira para casa com medo de ser morta por ele caso fosse ao seu apartamento após o jantar. A não ser que se tratasse de uma delirante, o que não combinava com a jovem engenheira estagiária numa firma alemã com escritório no Rio.

20.

Manhã de quinta-feira, o delegado Espinosa mal entrara no seu gabinete, e ainda tirava o paletó quando viu o inspetor Welber parado na porta, esperando que ele acabasse de chegar.

— Bom dia, Welber, pode entrar.

— Bom dia, delegado.

— Que aconteceu?

— Ainda não sei, mas toda manhã, em vez de vir direto para a delegacia, passo na portaria do prédio daquela moça, Anita, para falar com o porteiro da noite. Hoje, assim que eu apareci na porta, ela se abriu e o porteiro veio andando na minha direção. Me contou que ontem à noite, por volta das onze, ele viu dona Anita chegar acompanhada do homem que mora no prédio em frente, "acho que o nome dele é Vicente", dar um beijo rápido nele e entrar apressada. O homem ficou parado, esperando que ela entrasse no elevador, e ainda ficou alguns minutos esperando pra ver se ela voltava, mas ela não voltou, e ele atravessou a rua sem esperar o sinal abrir para ele e entrou no prédio em frente.

— E aí? — perguntou o delegado.

— E aí não aconteceu nada, e esse é o mistério. Os dois devem ter saído para jantar num restaurante aqui perto, porque chegaram a pé. Era natural que ele não subisse com ela por causa da avó e da acompanhante, mas bastava atravessarem a rua e irem para o apartamento dele... sem problema... em vez dele receber uma bicota e voltar sozinho para casa.

— Como você disse, eles devem ter saído para jantar.

— Delegado, o senhor já viu a moça. É o tipo de mulher que, se algum homem sair com ela para jantar, assim que saírem do restaurante, se esse homem portar um par de algemas, prende uma delas no pulso da moça, a outra no seu próprio pulso, e atira a chave no bueiro.

— E aí? — insistiu Espinosa.

— E aí que ela ficou assustada com alguma coisa e pediu para voltar para casa.

— Com que ela teria ficado assustada?

— Com alguma ameaça feita por ele ou pressentida por ela. Segundo o porteiro, ela entrou apavorada.

— O que você sugere?

— Sugiro que fiquemos mais atentos a ela.

— Welber, tenho certeza de que todos os inspetores da 12ª DP se apresentarão como voluntários para ficarem atentos a ela, mas não deve ser nisso que você está pensando.

— Não propriamente, mas o senhor mesmo disse que o professor Vicente sofre de uma doença, que ele perde a lembrança de partes de sua vida e que ele preenche essas falhas com acontecimentos inventados. Acho que ele inventou aqueles supostos assassinatos para tapar alguns desses vazios. Minha pergunta é se ele não será capaz de cometer assassinatos de verdade com o mesmo objetivo. A tal da Paula, ou seja qual for o nome verdadeiro dela, desapareceu, não há o menor sinal dela; a professora Paula da Faculdade de Letras que telefonou para o senhor disse que conheceu o professor Vicente pouco antes dele ser aposentado, e que ela esteve, sim, afastada da faculdade por quase um mês para tratamento de saúde. Essa parece ser a verdadeira e atual Paula. Os almoços no campus da universidade e o passeio de carro pela Barra da Tijuca foram inventados pelo professor, que acrescentou a eles a professora Paula. O nome Paula pode ter sido coincidência, ou ele sabia da existência dessa Paula na Faculdade de Letras e usou o nome. Minha pergunta é: e se ele quiser desaparecer também com Anita?

— Welber, não vamos confundir uma ideia de assassinato com um assassinato real. Por enquanto, fique de olho no professor e em Anita. Se algum sinal apontar para isso que estamos imaginando, começamos a agir.

— O fato deles terem saído para um jantar romântico e terem voltado com ela assustada e subindo apressada para o apartamento da avó não seria um sinal?

— Se tudo de incomum que acontecer entre eles for tomado como sinal de um provável assassinato, ele terá que ser preso antes da semana terminar. O comportamento cotidiano do professor é bastante incomum. Lembre-se de que ele entrou um dia aqui na delegacia para confessar um crime que teria cometido há mais de dez anos, e que nossa amiga Anita entrou no apartamento dele e roubou sua cadeira de rodas enquanto ele dormia no sofá da sala. Enfim, nenhum dos dois se comporta como as demais pessoas — disse Espinosa.

— E essa suposta Paula que saiu com ele, foram almoçar no Recreio dos Bandeirantes e voltaram ambos para o apartamento dele, de onde a suposta Paula saiu na manhã do dia seguinte... e desapareceu? — perguntou Welber.

— Desapareceu para ele, o que não quer dizer que tenha sido assassinada por ele.

— Pois então... A verdade desse crime não foi refutada — insistiu Welber.

— Tampouco foi comprovada — rebateu Espinosa. — O máximo que conseguimos foi uma ossada submersa num rio pantanoso chamado canal do Morto. O nome diz tudo.

Welber deixou o gabinete do delegado certo de que ele estava menosprezando a loucura do professor Vicente ou sua capacidade para o mal. Outro aspecto da situação que seu chefe não estava considerando era o fato de Anita ter saído de uma bucólica comunidade alemã de Santa Catarina para cair no coração de Copacabana; não se tratava de uma mudança inócua para uma jovem romântica como Anita.

Vinte para as dez, provavelmente era o mesmo porteiro com quem ele falara mais cedo, caso a mudança de turno fosse às dez. Em cinco minutos estava em frente ao prédio onde Anita morava. Pela porta envidraçada viu o porteiro sentado à mesinha do hall dos elevadores. Antes de Welber apertar a campainha, ele liberou automaticamente a porta.

— Bom dia mais uma vez, inspetor.

— Bom dia de novo — respondeu Welber. — Vim reforçar um pedido que já fiz, e que diz respeito principalmente ao seu turno de trabalho. Preciso que você me informe por telefone qualquer situação envolvendo dona Anita e que você perceba como estranha ou ameaçadora a ela. Aqui neste cartão tem o telefone da delegacia e na parte de trás meu celular e o fixo da minha casa. Moro a poucas quadras daqui. Pode ligar a qualquer hora, mesmo de madrugada.

— Está acontecendo alguma coisa com ela? — perguntou o porteiro.

— Nada, por enquanto.

— Pode deixar, inspetor. Nós, aqui do prédio, gostamos muito de dona Anita; ela sempre cumprimenta a gente, para um minuto para trocar umas palavras, oferece um pacote de biscoito... No que depender da gente, não vai acontecer nada de mau a ela. Eu não fecho os olhos durante o meu turno à noite.

— Sei que ela está protegida aqui no prédio. Obrigado, e até logo mais.

— Até mais, inspetor.

Welber atravessou a rua e tocou a campainha da portaria do prédio do professor Vicente. O porteiro veio abrir a porta manualmente.

— Bom dia, inspetor. Veio visitar o professor Vicente?

— Não, Francisco, vim pedir um favor a você e seus irmãos.

— O senhor manda, inspetor.

— Preciso que vocês me telefonem avisando caso o professor tenha alguma crise, seja qual for o tipo de crise.

— Sem problema. Vou falar com meus irmãos. Pode ficar tranquilo que, qualquer coisa que aconteça com ele, a gente avisa na mesma hora.

Vicente esperava terminar a tradução dos contos de Poe nos próximos dias. Uma vez concluída essa parte, teria de fazer uma revisão minuciosa, conto por conto, antes de enviar o trabalho à editora. Somente então passaria para os poemas.

Mas não conseguiria realizar essa passagem sem se certificar do alcance da notícia que vira no jornal. Lera que a prefeitura estava efetuando um trabalho de localização, identificação e proteção dos jacarés que habitavam uma área próxima a Vargem Grande, na Zona Oeste da cidade. Com o avanço da construção civil, brejos foram aterrados, rios desviados e pequenas lagoas se extinguiram, obrigando esses répteis a migrar, e eles acabaram chegando à vizinhança das novas casas, atraídos pelo lixo e pelos animais domésticos que se aproximavam dos riachos e dos alagados da região. Temendo a ameaça que os jacarés significavam para as crianças — alguns deles medem quase dois metros —, os moradores passaram a atirar nos bichos, fossem eles grandes ou filhotes. Foi quando a prefeitura, ambientalistas e biólogos se mobilizaram e decidiram transferir os répteis para regiões selvagens e desabitadas. No local conhecido como canal do Morto, ponto de desova de cadáveres, os jacarés retiravam do fundo lodoso dos riachos corpos que foram despejados ali, deixando apenas as ossadas acumuladas ao longo de anos. Essa foi a notícia que perturbou o professor Vicente a ponto de tomar o lugar das imagens do corpo desmembrado que invadiam sua consciência havia meses. Claro que com o passar do tempo os restos animais e humanos tendiam a desaparecer. O que o professor não sabia era quanto tempo os jacarés e outros predadores levariam para devorar por completo os corpos. Se dispusesse de carro, poderia verificar o estado do terreno. Talvez um táxi. Sairia caro, mas valeria a pena. Ainda não era meio-dia. Andaria algumas quadras e pegaria o táxi na avenida Atlântica, longe de onde poderiam reconhecê-lo. O dia estava nublado, mas não parecia que ia chover, o movimento em direção à praia da Barra estaria reduzido, pelo tempo encoberto e por ser dia de semana.

Escolheu uma van ampla o bastante para poder sentar no banco de trás, longe do motorista e de qualquer conversa. Daria para fazer o percurso de ida e volta em uma hora e meia, mais meia hora para localizar o ponto certo do descarte e sondar rapidamente o terreno. Pusera um boné de aba longa que cobria os olhos e o cabelo, e mascava chicletes para alterar um pouco a voz e a fala. O motorista perguntou apenas qual era o destino e se ele tinha algum trajeto preferencial. O endereço era Vargem Grande via Barra da Tijuca, respondeu Vicente, quando chegassem ao Recreio indicaria com mais precisão. A viagem transcorreu como ele esperava: poucas palavras, as indispensáveis para fornecer o endereço que não existia com precisão, num espaço onde não havia muitas casas. Quando chegaram à parte onde a estrada corria ao lado do canal do Morto, Vicente pediu ao motorista que diminuísse a velocidade porque ele estava à procura de um terreno cuja placa de localização provavelmente fora derrubada e levada pelas águas num dos transbordamentos do canal, que eram frequentes. Precisaram fazer o percurso duas vezes; na segunda, o professor pediu ao motorista que parasse o carro para ele descer e seguir a pé a fim de confirmar se descobrira o ponto certo. A região fica nos contrafortes da floresta da Tijuca, sendo densamente arborizada e cortada por pequenos rios que formam inúmeros lagos e brejos habitados por fauna variada. Não era época de chuvas fortes, mas mesmo assim o canal estava cheio, embora não houvesse transbordado a ponto de cobrir a estrada. Também não vira, no brejo, nenhum jacaré próximo de onde ele se encontrava. À medida que continuou andando, sentiu-se ligeiramente tonto, e teve a impressão de que a luz da tarde escurecera um pouco, talvez por causa de uma nuvem mais densa ou da proximidade das árvores, que bloqueavam a luz do sol. Com a diminuição da luminosidade, a mata ao fundo, misturada ao brejo coberto de vegetação rasteira e de folhagem e galhos caídos, fez com que os limites do canal e da estrada se fundissem como se o canal tivesse de fato transbordado. Vicente não conseguia distinguir com clareza galhos e pequenos troncos daquilo que às vezes parecia ser corpos humanos ou membros isolados. Não apenas isso, achou também que alguns desses destroços ou partes de corpos humanos boiavam na sua direção e que não demorariam a esbarrar na perna dele. Olhou mais uma vez para o motorista, que o seguia devagar com o carro mas não parecia ter percebido o transbordamento do canal nem estava preocupado com os jacarés, que tampouco sabia que infestavam o brejo e os rios. A tontura aumentou, e com ela se desvaneceu a possibilidade de Vicente continuar a andar com firmeza sobre um chão que ele já não podia discernir se era o asfalto molhado da estrada, terra molhada pela água do brejo, lama, se estava caminhando no sentido da estrada ou na direção da água do canal e do brejo. Contra esse cenário confuso à sua frente, surgiram mais imagens que ele não sabia se eram várias ou se era a mesma e mudava de lugar. Uma delas era sem dúvida a imagem do corpo desnudo de mulher que o assombrara durante meses; só que agora, em vez de estar na sala do seu apartamento, estava numa pequena estrada no limite oeste da cidade, à beira de um canal chamado canal do Morto. Fazia calor e ele não podia mais caminhar. Acenou para o motorista parar e encostou-se no para-lama, deslizou pela lateral do carro, abriu a porta com dificuldade e entrou no banco de trás. Ficou um minuto ou dois se recuperando do estresse e se refrescando no ar condicionado; passado esse tempo, ordenou ao motorista que o levasse de volta a Copacabana. O retorno foi tão silencioso quanto a ida, e o motorista o deixou no mesmo ponto onde ele pegara o táxi.

21.

A aventura da véspera o deixara entregue às imagens que o ameaçavam e com os músculos doloridos, como se tivesse ido a Vargem Grande a pé. Assumia para si mesmo que aquela fora uma decisão estúpida. Não constatara nada denunciador e se expusera sem necessidade. Acordara com fome. No dia anterior, tinha apenas tomado café da manhã, não almoçara nem jantara, e no final da tarde chegara em casa enjoado, tonto, com vontade de vomitar. Engolira um remédio cujo nome não lembrava e se jogara na cama vestido. A camisa estava borrifada de lama, o cabelo endurecido e o corpo malcheiroso. Dormira assim, sujo. Ao despertar, tomou um banho prolongado, preparou o café da manhã, reforçou a dose do remédio e ligou o computador. Lá estava a mensagem de Anita, confirmando o lanche para as seis da tarde do dia seguinte e dizendo que ele não se preocupasse em comprar nada, bastava oferecer a casa e a mesa, ela ofereceria o lanche.

Ainda não conseguira entender como Anita se encaixava ou poderia se encaixar em sua vida, dúvida que abrangia o passado, o presente e o futuro. Olhando para trás, não encontrava nenhum sinal dela. De fato, antes de ele dar aulas na faculdade ou mesmo durante o tempo em que trabalhara como professor universitário, Anita era uma adolescente, e por certo morava no interior de Santa Catarina. No presente, era uma jovem encantadora e simpática que insistia em se aproximar dele a ponto de ter invadido seu apartamento mas que tinha idade para ser sua filha. Quanto ao futuro, era ainda mais nebuloso. Ele não entendia o que ela pretendia. Namorar? Ter um caso amoroso com ele? Casar? Nenhuma das três hipóteses fazia sentido. Anita era bonita e atraente o bastante para escolher o par que ela quisesse. Por que escolheria um homem que tinha quase o dobro da idade dela e cuja saúde não prometia um futuro brilhante? Olhou para a janela do apartamento em frente, como que procurando uma resposta imediata, mas Anita não estava visível; mesmo que estivesse disponível, provavelmente ela própria não seria capaz de esclarecer suas dúvidas. Não havia nada a fazer a não ser esperar o lanche do dia seguinte. Ou melhor, havia o que fazer, continuar a tradução dos contos de Poe, a qual sofrera algumas interrupções. Trabalhou o dia todo, tendo parado apenas para descer e comer o frango assado com fritas. Antes e depois do jantar, lançara olhares ao prédio de Anita, mas em nenhuma das vezes a viu na janela. Apesar de estar cansado da véspera, estendeu ao máximo a hora de se recolher, para ver se ela faria alguma aparição, mas decidiu ir para a cama antes que adormecesse em cima do teclado do computador. Enquanto tirava a roupa, teve uma visão instantânea, um flash de Anita deitada nua na cama. Acendeu rapidamente a luz do quarto, apenas para se deparar com a cama arrumada e vazia. Deitou-se. Após alguns minutos, levantou-se para tomar sua medicação rotineira, e logo em seguida foi dormir.

Acordou na manhã seguinte como se tivesse acabado de se deitar na noite anterior e a noite houvesse transcorrido em poucos minutos. O único fragmento de sonho que restou foi a imagem de Anita deitada nua ao seu lado na cama. Nem pensou em voltar a dormir. Estava inquieto, foi ao banheiro, andou sem nenhum propósito pelo apartamento, e, só depois de percorrer todo o espaço disponível, sentou-se ao computador e ficou olhando para a tela como se ela fosse reconhecê-lo e expor imagens ou frases capazes de apontar o sentido de pelo menos alguns dos eventos das últimas semanas. O computador permaneceu imutável até a luminosidade da tela escurecer. Vicente levantou-se e tornou a andar por toda a extensão do apartamento, entrando e saindo de cada cômodo até esbarrar na cadeira de rodas encostada na parede da sala.

A cadeira de rodas. Sabia que tinha que fazer alguma coisa com ela, mas não sabia o quê, não era para uso próprio, seria então para outra pessoa, que não estivesse em condições de andar. Mas não conhecia ninguém que estivesse incapacitado de andar. Não ainda. O mal-estar voltou. Misto de dor de cabeça, enjoo e dor no corpo. Logo em seguida, vieram as imagens da mulher desmembrada, quadro que ultimamente vinha readquirindo força e se impondo com frequência, repetindo a representação de uma mulher nua e sem rosto. Vicente recostou-se no sofá e tentou dormir por alguns minutos, numa tentativa de espantar magicamente a imagem da mulher. Não conseguiu adormecer, conseguiu apenas acrescentar à mulher uma face. A de Anita. Assim que passou o enjoo, tomou banho e desceu para almoçar. Precisava comer para evitar o mal-estar e se manter em condições de enfrentar física e mentalmente Anita. Lembrava-se de ter saído com ela para jantar, mas não se lembrava do restaurante nem da conversa que tiveram, se é que houvera conversa, assim como tampouco se recordava do que acontecera depois. Caso ela tentasse retomar algum tema abordado durante o jantar, ele teria que confessar seu esquecimento. Talvez tivesse mesmo de confessar que cada encontro que tivessem seria sempre o primeiro. Sua história pessoal não era propriamente uma história vivida, mas um relato reconstruído ou simplesmente construído em cima de fragmentos de sua própria memória e de relatos de terceiros ou de anotações pessoais quase ficcionais e impossíveis de ser comprovadas. O roteiro do encontro que haviam marcado para a tarde daquele dia no seu próprio apartamento, isto é, naquela sala onde ele se achava naquele momento, estava registrado na tela do computador à sua frente graças ao e-mail de Anita, caso contrário, talvez não passasse de uma lembrança nebulosa de algo que ainda não tinha acontecido.

De volta ao apartamento, já havia esquecido o que o preocupava antes de descer para almoçar. Sabia que era algo que dizia respeito a uma pessoa. Como tinha poucos conhecidos e pouquíssimos amigos, podia enumerá-los para ver se o assunto esquecido tinha a ver com algum deles. O insucesso fez com que sentasse ao computador e continuasse sua tradução — a única coisa que não era atingida pelas falhas de memória, porque estava no computador e bastava abrir o arquivo na última frase e verificar se estava de acordo com a página assinalada no livro com um marcador. Foi quando viu a mensagem de Anita em destaque na tela. Lembrou-se do lanche, mas não do fato de ser sobre isso que pensava antes de descer para almoçar.

Ainda era dia claro, achou que devia tomar outro banho; tinha ido à rua, comera no restaurante, na verdade um minirrestaurante com meia dúzia de mesas também mínimas e que, apesar do tamanho diminuto, não era tão limpo quanto poderia ser. Tomou outro banho e escolheu roupas limpas para vestir. De volta ao computador, encontrou uma mensagem de Anita dizendo que já havia feito as compras e que chegaria em torno das seis horas. Com a confirmação, restava apenas esperar. Ainda não decidira como proceder durante o lanche, se com suavidade, para não assustá-la, ou com entusiasmo, para incentivá-la a iniciativas promissoras. Também não sabia exatamente o que poderiam ser iniciativas promissoras, talvez fossem apenas e simplesmente iniciativas que poderiam ser tanto verbais como gestuais. O importante era ele não se agitar e não falar demais, para não amedrontá-la e provocar uma saída prematura. Separara numa caixa os remédios, para caso de necessidade ou até mesmo para uma emergência. Mas não havia nenhum sinal de alteração, e o encontro prometia ser agradável e tranquilo. Evitara também ficar a todo momento olhando para o apartamento de Anita. Caso ela estivesse à janela, poderia interpretar os vários olhares como indício de ansiedade da parte dele.

Às seis horas o interfone tocou, o porteiro avisava que dona Anita estava subindo. Vicente foi recebê-la à porta.

Ela chegou com uma sacola grande em cada mão. Vicente pegou a que parecia mais pesada, ao mesmo tempo que dava um beijo rápido na boca de Anita e a convidava a entrar. Foram até a mesa, e ela retirou das sacolas vários embrulhos com pães, queijos, frios, geleia, e da sacola que estava na mão de Vicente, duas garrafas de vinho tinto e quatro menores de cerveja.

— Não sabia se você gosta mais de vinho ou de cerveja, ou ainda de café com leite, então trouxe um pouco de cada coisa, sendo que as cervejas são belgas e os vinhos são um argentino e outro chileno.

— Maravilha! Não podia ser melhor.

A mesa redonda para quatro lugares ficava junto à janela, bem em frente à janela de Anita, um andar acima. Arrumaram as cadeiras de modo a sentarem um defronte ao outro e ambos de lado para a janela.

— Aqui quase não se ouve barulho da rua — disse Anita, ainda observando o ambiente, que ela só conhecia à distância e de um ponto de vista perpendicular à janela; não tinha uma visão frontal das paredes onde estava a estante de livros e a bancada onde Vicente trabalhava.

— A ausência de barulho é porque os vidros são mais grossos e duplos. Não gosto de barulho... Também não gosto de poeira.

— Vamos começar com quê? Vinho, cerveja, café ou café com leite? — perguntou Anita.

— Acho que podemos deixar o café, com ou sem leite, para o fim. O que você acha?

— Por mim está ótimo.

— Vinho ou cerveja?

— Podemos começar pelo vinho. Bebe-se mais devagar. Combina com os queijos e com os frios — respondeu Anita.

— Os pães podem estar presentes em todos os momentos — completou Vicente. E em seguida pediu: — Me conte como era sua vida em Santa Catarina.

Anita começou contando da época em que seus avós chegaram da Alemanha como refugiados e foram para aquele estado.

— Sou da terceira geração de alemães já nascidos no Brasil. Passei a infância em Pomerode, uma cidadezinha na Serra Catarinense, onde quase só se falava alemão e onde fiz meu curso secundário; depois fui morar em Florianópolis para estudar engenharia. Foram cinco anos de estudo e alguns namoros esparsos para quebrar o rigor do curso. Não tive dificuldade, era boa aluna em matemática, o que me ajudava nas demais matérias. Concluído o curso, como eu era fluente em alemão e inglês, que aprendi com meus pais, consegui um lugar numa indústria de componentes para aviação, o que me fez vir para o Rio para fazer pós-graduação em administração de empresas. Faltam três meses para terminar a pós, e recebi uma oferta para ir para a Alemanha ou para ficar aqui na filial do Rio. Claro que prefiro ir para a Alemanha. Nem que seja para passar apenas alguns anos e conhecer a Europa. Agora fale de você.

— Eu era professor da Faculdade de Letras da Universidade Federal do Rio de Janeiro, com mestrado, doutorado e outras coisas mais, quando aos quarenta anos tive uma série de crises convulsivas em plena aula, sendo que na última delas caí em cima de uma aluna sentada na primeira fila. Fui aposentado por invalidez. Fim da história.

Anita ficou olhando para Vicente sem saber o que dizer.

— Você foi mandado embora? Assim, sem mais nem menos?

— Não foi assim, sem mais nem menos. De início, pensaram que eu fosse epilético. Fui examinado por vários médicos, fiz uma série de exames, e no fim concluíram que não era epilepsia, mas um transtorno neurológico chamado síndrome de Korsakov. Trata-se de um transtorno decorrente de um traumatismo craniano seguido de processo infeccioso, transtorno esse que me torna incapaz, segundo eles, de manter uma atividade como a de professor universitário. A primeira coisa que é afetada é a memória de curto e longo prazo, e pode chegar ao ponto da pessoa perder a própria identidade.

— E é uma doença perigosa?

— Você quer saber se é uma doença perigosa para os outros? Se eu posso me transformar num louco furioso ou num assassino?

— Não... claro que não... Não foi isso que eu quis dizer.

— Eu sei que não, querida. Fui eu que disse. Mas posso dizer que a resposta à sua pergunta é sim. Não que eu vá me transformar em Jack, o Estripador, ou em Dr. Jekyll e Mr. Hyde, mas posso sofrer uma mudança repentina de humor para o bem ou para o mal, dependendo das condições externas, ou posso ainda confabular, ficcionar, inventar fatos que não existiram, para preencher as lacunas da minha história.

— Você já havia me falado sobre essa síndrome durante o nosso jantar, mas eu tinha esquecido. Não esqueci que você contou, mas esqueci a explicação que você deu. Desculpe.

— Eu é que devia me desculpar por estar contando outra vez a mesma história. Brindemos ao fato de estarmos falando aqui sobre histórias e não sobre eventos. O vinho que você escolheu é muito bom, e o mesmo posso dizer dos queijos, dos frios, dos pães e de tudo mais.

— Acho que podemos abrir a outra garrafa — disse Anita. — Ainda temos bebida e comida para muita história e muito evento.

— Acho os eventos mais interessantes do que as histórias — comentou Vicente.

Anita se lembrou da cena que vira de sua janela, o professor correndo nu atrás de uma mulher também nua na sala do apartamento onde estava agora sentada, lanchando civilizadamente com ele, enquanto contavam suas histórias.

— Você também prefere os eventos? — perguntou Vicente.

— Depende do evento — respondeu Anita. — Se o evento for agradável, sem violência...

— ... prazeroso... — acrescentou ele.

— Sem dúvida — completou ela, arrependendo-se imediatamente do que acabara de dizer.

— Podemos ensaiar um evento logo que terminarmos o lanche — disse Vicente, com visível entusiasmo.

— Você quer dizer: passarmos do evento lanche para outro evento de natureza diferente — disse Anita, não com o mesmo entusiasmo, mas com visível interesse.

Em seguida, olhou para o seu apartamento, como que avaliando a distância e as chances de chegar até lá em caso de necessidade, embora não houvesse motivo para se sentir ameaçada, o comportamento do professor Vicente era, até aquele momento, irrepreensível.

No transcorrer dessa troca de palavras, os dois tomaram meia garrafa de vinho, o que não é excessivo, mas também não é comum, sobretudo levando-se em conta que tinham acabado de tomar uma garrafa inteira do mesmo tipo de vinho. Se fosse ela mesma olhando a cena da sua janela, diria que o casal do apartamento em frente estava abusando da bebida, mesmo considerando que, ao mesmo tempo que bebiam, comiam pão, queijos, frios e outras coisas que ela poderia ver com a ajuda do binóculo. Pediu licença para ir ao banheiro e levantou-se, precisava pensar no que estava acontecendo. Na verdade, não estava acontecendo nada, a não ser um lanche agradável proposto e concretizado por ela mesma. Ao se dirigir ao banheiro, passou pela cadeira de rodas encostada na parede da sala, a mesma que ela cometera o desatino de "furtar" e levar para a sua casa. Não gostou de ver a cadeira ali no caminho, como que pronta para ser utilizada. A ida ao banheiro para "refletir" sobre a situação foi inútil; primeiro, porque não estava tranquila o bastante para refletir sobre coisa nenhuma; segundo, porque não podia sentar na privada e ficar lá o tempo que quisesse pensando nas consequências de algo que ela própria havia proposto. Deu a descarga para fazer barulho, lavou as mãos, saiu e voltou para a mesa, sentindo-se estúpida e medrosa.

— Então, já se decidiu? — perguntou Vicente, antes mesmo de ela se sentar.

— Já me decidi sobre o quê?

— Sobre ensaiarmos um evento depois do lanche.

— Ainda estamos no meio do lanche, podemos pensar enquanto comemos.

— Está bem. Ao vinho, então.

22.

Anita acordou, na madrugada de domingo para segunda, numa cama que não era a sua, os lençóis e as roupas jogados no chão, e uma forte dor de cabeça misturada com tontura e enjoo. Impossível ensaiar o mais simples e elementar pensamento. Não sabia onde estava, e havia apenas a luz de uma lâmpada fraca de abajur na mesinha de cabeceira do outro lado. Foi só então que se deu conta de que havia mais alguém na cama, e que ela estava inteiramente nua. Não sabia quem estava ali. Ocorreu-lhe que podia ser Vicente, mas não sabia muito bem quem era Vicente. Tentou se levantar para ir ao banheiro, mas o máximo que conseguia era rolar como um lápis; tentou mais uma vez, e suas pernas caíram pelo lado da cama e os pés tocaram o chão; pouco a pouco foi dobrando o corpo, até sentar e equilibrar-se com os braços esticados como esteios sobre a cama. Passado um tempo, conseguiu levantar-se e permanecer de pé. Deu alguns passos e alcançou a porta do banheiro. Acendeu as luzes e examinou-se o mais minuciosamente possível: não estava ferida nem dolorida em nenhuma parte específica do corpo, e tinha a impressão de não ter sido tocada sexualmente. Apagou as luzes do banheiro e se dirigiu à sala, onde procurou suas roupas. Encontrou-as empilhadas no sofá, os sapatos estavam ao pé da cadeira giratória. Vestiu-se o mais rápido que pôde, achou a bolsa e olhou instintivamente para o seu apartamento. A luz da sala continuava acesa. Verificou se suas chaves estavam na bolsa e saiu o mais silenciosamente possível pela porta da frente, a chave estava na fechadura, bateu a porta e chamou o elevador. O porteiro da noite cumprimentou-a quase dormindo e apertou o botão que destrancava as portas. A rua estava vazia de pedestres e o movimento de veículos era quase nenhum. Atravessou sem esperar o sinal abrir e em segundos tocava a campainha da portaria do seu prédio. Assim que entrou em casa e passou pela sala, olhou para o apartamento de Vicente. Estava completamente às escuras. Difícil acreditar que minutos antes ela estava lá, deitada na cama com Vicente. Não era difícil acreditar que tudo não passara de um sonho. Meia hora depois, ela também dormia em sua cama como se nada tivesse acontecido, exceto por um resto de enjoo e dor de cabeça.

Acordou às dez horas, ainda com dor de cabeça e enjoo, mas conseguindo concatenar minimamente as múltiplas e dispersas lembranças do que acontecera na noite anterior. Tomou banho, preparou o café da manhã e, na sala, olhou para o apartamento do professor Vicente. Ele estava sentado ao computador. Pegou o binóculo e examinou a sala. A mesa onde tinham lanchado estava vazia e limpa, os móveis estavam nos seus devidos lugares, e não havia nada espalhado pelo chão. O próprio Vicente trabalhava como fazia todos os dias e todas as horas do dia. Não parecia abalado por nenhum acontecimento extraordinário.

Depois de passar pelo quarto da avó e constatar que estava tudo normal, ela entrou no banheiro e tomou outro banho, mais cuidadoso; de novo examinou-se o mais minuciosamente possível, e confirmou que estava tudo como antes. Vestiu-se para ir para o trabalho, e no metrô ainda imaginava se não teria sido vítima de uma bebedeira provocada por ela mesma, que a levou a um delírio alcoólico cujo conteúdo não correspondia em nada à realidade. Nunca bebera àquele ponto, mas já ouvira relatos de delírios alcoólicos inimagináveis no que dizia respeito aos detalhes dos fatos acontecidos. Por que não o delírio dela? De uma coisa tinha certeza, não tinha havido relação sexual entre eles; o corpo tem uma memória própria de certas coisas que o atingem intensamente, seja memória de dor ou de prazer. E, mesmo imediatamente ao acordar, não percebera nada nesse sentido, embora houvesse se apalpado nas regiões mais sensíveis à procura de resíduos mucosos. Nada, porém, fora encontrado. A menos que o homem tivesse usado camisinha. O correto seria perguntar a ele, que poderia mentir, é claro. Mas não se tratava de um adolescente assustado que tivesse violentado sexualmente uma mulher. Tratava-se de um homem de cinquenta anos, professor universitário, tradutor renomado... Essas reflexões prosseguiram quando ela saiu do metrô, depois durante o horário de trabalho e também na volta para casa no final da tarde.

Vicente não enviara nenhuma mensagem, nem para agradecer o lanche, o que Anita esperava que ele fizesse, nem para comentar o ocorrido após o lanche ou para perguntar se ela estava passando bem. Olhou pela janela, mas o professor continuava sentado ao computador, digitando sem parar, não perderia nem cinco minutos enviando uma mensagem. E não enviou. Também não cabia a ela fazê-lo. Mas era importante não esquecer que ele sofria da tal síndrome de Korsakov, que afetava fortemente não apenas a memória de longo prazo como também a de curto prazo. Poderia ser esse o motivo de não se manifestar. Ele simplesmente não se lembrava de nada. Talvez por isso tivesse continuado a dormir quando ela se levantou e foi embora. Esperaria até a tarde do dia seguinte, dois dias depois de ter ido ao apartamento dele carregando duas sacolas de compras para o lanche.

Olhava para a sala do professor quando o telefone tocou. Não identificou quem estava chamando.

— O delegado Espinosa, da 12ª DP. Gostaria de falar com a senhorita Anita, por favor.

— É ela quem está falando, delegado. Desculpe não ter entendido de imediato.

— Não tem importância. Chamada de delegacia policial é assim mesmo. Ninguém entende de primeira. Como está a senhorita?

— Bem. Por que pergunta?

— Porque fiquei preocupado com sua saída ontem à noite, e mais ainda com sua chegada em casa.

— Delegado, o senhor está vigiando meus passos?

— Não todos, só alguns. Mesmo assim, não estou vigiando pessoalmente, apenas sou informado quando a senhorita comete uma imprudência. A polícia não está vigiando seus passos. Se estivesse, eu não estaria nem um pouco preocupado com a senhorita.

— E por que, de repente, esse negócio de senhorita isso, senhorita aquilo, como se já não tivéssemos conversado longamente tratando um ao outro pelo nome?

— Não tenho nada contra voltarmos ao tratamento antigo.

— Não é antigo. Faz poucos dias.

— Muito bem, Anita, não tenho nada com a sua vida íntima, mas que diabos você se meteu a fazer com seu objeto de observação, o professor Vicente, que saiu do apartamento dele no meio da madrugada, trocando as pernas, visivelmente drogada?

— Eu, drogada?

— Não precisa ficar ofendida. Há muitos tipos de droga, nem todas são ilegais e nem todas são proibidas; muitas, você pode comprar na farmácia, basta ter a receita médica. E o seu amigo professor deve ter várias receitas de reserva.

— Você está querendo dizer que Vicente me drogou para se aproveitar de mim?

— Não. Estou dizendo que você pode ter tomado a droga pensando que fosse, por exemplo, uma pílula para dor de cabeça; ou que pode ter sentido tonteira por causa do vinho, ter pedido um remédio para tonteira ou enjoo e ele ter te dado um dos vários que ele toma, sendo que a dosagem para ele é muito mais forte; ou qualquer coisa do tipo. Ele toma medicação forte diariamente; não uma única substância, mas várias, é um co-quetel. Se você tomar uma única dose diária do que ele toma, em poucos minutos estará dormindo. Pode ter acontecido algo assim, acidental ou intencionalmente. Pode ter acontecido até de vocês dois terem sido vítimas do mesmo medicamento. O vinho completou o quadro.

— Por que está me telefonando e dizendo essas coisas? Vocês vão continuar me vigiando?

— Você não está sendo vigiada nem seguida, apenas algumas coisas que podem ser perigosas para você me são comunicadas.

— E você dispõe de uma rede de informantes que fazem esse serviço?

— A polícia dispõe de uma rede de informantes, mas não são eles que me informam sobre você. Fique tranquila, ninguém está violando sua privacidade nem se intrometendo na sua vida. Vamos chamar essas fontes que usei com você de fontes light. Caso se oponha terminantemente a esse tipo de proteção não oficial, eu os destituo dessa função, e tudo continua como antes. Mas, se não se opõe, eu gostaria que me contasse o que aconteceu na noite de ontem e madrugada de hoje. Isso será importante para eu avaliar se está correndo um grande perigo ou se não passa de um jogo levemente perigoso. Se for conveniente para você, posso dar um pulo na sua casa em vez de você vir à delegacia agora, e você me conta o que aconteceu. Ainda não são sete horas. Acho que podemos resolver isso em meia hora, no máximo uma.

— Está bem, delegado, se você pode vir, eu te espero. Você sabe o endereço.

— Sei. Estarei aí em poucos minutos. Sozinho.

Assim que chegou, e ao primeiro olhar, Espinosa percebeu que as últimas vinte e quatro horas de Anita tinham sido difíceis, mas não quis perder tempo com questões secundárias.

— Diga o que aconteceu. Inicie sua narrativa pelo que você considera o começo de tudo. Não estou gravando sua fala e não vou fazer anotações, a menos que sejam absolutamente necessárias.

— Muito bem. Tudo começou com um e-mail enviado por mim marcando um jantar na trattoria que fica na mesma quadra em que eu muro. Fomos andando de mãos dadas até lá e a primeira parte do jantar foi ótima, a conversa foi agradável, até o momento em que ele contou que é portador da síndrome de Korsakov, da qual eu nunca tinha ouvido falar e que ele teve que me explicar. Mas mesmo assim a conversa recuperou um pouco da leveza do início. Eu é que não me senti bem. Alguma coisa me tocou de mau jeito. Fisicamente. E pedi que ele me levasse até a portaria do meu prédio. Foi uma quebra no primeiro encontro. Passado o tempo necessário para as coisas retornarem ao ponto de partida, foi minha vez de propor um lanche no apartamento dele, eu me encarregaria de tudo. Ele aceitou prontamente e marcamos para o domingo seguinte, que foi ontem. O lanche transcorreu às mil maravilhas, tomamos vinho, um pouco demais para o que estou acostumada a beber, mas, como estávamos comendo pão, queijo, presunto etc., achei que não haveria problema. Mas, depois de tomarmos duas garrafas de vinho, precisei ir ao banheiro para me recompor. Quando dei conta de mim, estava deitada nua na cama do professor, a cabeça doendo, enjoada, sem ter a menor ideia de como fora parar ali.

— Antes de ir ao banheiro, não lhe veio à lembrança a cena que você presenciara de sua janela, o professor nu correndo atrás de uma mulher também nua na sala?

— Confesso que me lembrei, mas não dei importância. Soube depois, pelo próprio professor Vicente, que se tratava de uma amiga dele, professora.

— Professora Paula — disse Espinosa.

— Isso mesmo. Você a conhece? — quis saber Anita.

— Só de nome. O professor te contou mais alguma coisa sobre ela? Eles romperam a relação? — perguntou Espinosa.

— Não sei, parece que ela viajou.

— Você não vê nenhuma coincidência nas duas cenas: a da mulher correndo nua pelo apartamento e você acordando nua na cama do professor, com ele ao lado também nu? Não lhe ocorre que essa possa ser a brincadeira predileta do professor?

— Mas eu não fiz esse tipo de brincadeira com ele.

— Não enquanto estava de plena posse de suas faculdades mentais.

— Você acha que ele me dopou?

— Não deve ter faltado ocasião. Uma delas pode ter sido enquanto você foi ao banheiro.

— Mas como...

Anita se calou.

— Não fique triste, provavelmente não aconteceu nada, a não ser cenas de nudez das quais nenhum dos dois vai se lembrar.

— Você vai ter de transcrever tudo o que contei, no computador ou no papel?

— Eu disse a você que não faria isso. Mas gostaria que evitasse o contato com o professor Vicente. Sobretudo se for ao apartamento dele.

Espinosa se levantou, lançou um olhar à sala do professor.

— A meia hora que solicitei a você já se esgotou — disse ele. — Não fique aborrecida com a nossa intromissão na sua vida privada, é que não queremos que nada de mau aconteça a você. Qualquer coisa que perturbe o seu bem-estar, vinda do professor Vicente, ligue imediatamente para a delegacia e mande me chamar... Ou então ligue para o meu celular, qualquer dia e a qualquer hora.

Retirou um cartão do bolso interno do paletó e o estendeu para Anita.

23.

Anita ficou olhando para o cartão do delegado Espinosa enquanto ainda ressoava em seus ouvidos a frase: "Ligue para o meu celular, qualquer dia e a qualquer hora". Já tinham dito a mesma frase para ela, mas não com tanta força de verdade e com o toque amoroso do delegado Espinosa. Sentia-se ao mesmo tempo protegida e amada. Do outro lado do cartão estavam manuscritos o número do celular e o do telefone fixo. Anita achava natural ele dar o número do celular, um número que não tem endereço geográfico, mas o telefone fixo remete diretamente a um bairro, uma rua e um prédio específico. É como se ele estivesse dizendo: "Qualquer dia e a qualquer hora, e meu endereço é...", facílimo de localizar.

Na manhã seguinte, assim que chegou ao trabalho, ligou o computador e abriu o aplicativo de busca que já utilizara outras vezes, sendo que dessa vez dispunha do nome, do número do celular e do número do telefone fixo; junto a outros dados que colhera disfarçadamente com o inspetor Welber, voltou para casa no final da tarde com o endereço completo do delegado. "Quando menos ele esperar, estarei sentada no sofá do apartamento dele, com ele ao lado... ou num lugar ainda mais confortável."

De posse do endereço, seu primeiro passo rumo à conquista

era fazer o reconhecimento do local: o Bairro Peixoto, a pouco mais de duas quadras da sua casa e da 12ª DP, um lugar agradável, protegido do movimento e do barulho das ruas que cortam Copacabana de ponta a ponta, com uma praça no meio que ainda guardava marcas do tempo em que ostentava um magnífico bambuzal num dos seus cantos. Essas reminiscências evidentemente não eram dela, mas da avó na época em que, jovem, passeava pelo bairro. Durante o resto da semana, andou pelo minibairro, rodeando a praça e prestando atenção no prédio onde morava o delegado Espinosa, na esperança de cruzar com ele voltando para casa no fim da tarde. Para desapontamento dela, Espinosa não saía todos os dias à mesma hora, assim como não voltava sempre pelo mesmo caminho. O dia seguinte era sábado, e Anita resolveu empreender mais um tour com a avó na cadeira de rodas, e a acompanhante para garantir ajuda em caso de necessidade. Em vez de visitar as lojas e as galerias, iriam levar a avó para revisitar a praça de sua juventude. A avó recebeu a notícia com a alegria de sempre aumentada pela possibilidade de rever a praça que fazia muito não visitava. Como o destino dessa vez não eram as lojas e os supermercados, podiam sair mais cedo, no horário dos bebês.

Antes das nove horas, chegaram à entrada da praça por um dos acessos laterais, mais livres do trânsito de veículos na rua e de pedestres na calçada. O sol estava coberto por uma leve camada de nuvens que suavizava a paisagem e protegia crianças e idosos.

Anita deu uma volta completa na praça, até parar perto de um banco em frente ao qual estavam estacionados dois carrinhos de bebê e ainda havia espaço para a cadeira de rodas e a acompanhante. Enquanto a avó observava os bebês, com suas mães ou babás, e era observada por eles, sentados em seus carrinhos, Anita chegava até a beira da calçada para examinar mais detalhadamente o prédio onde morava Espinosa, do outro lado da rua, e contava os andares para localizar o apartamento do delegado. A janela francesa que dava para a praça estava completamente aberta, recebendo a luz da manhã e o barulho agradável das crianças correndo pela praça. Ela poderia sentar no banco, mas preferia permanecer em pé, porque tinha uma visão mais ampla de parte da sala de Espinosa; enquanto olhava para o apartamento, conversava com a avó sobre como era a praça algumas décadas antes. Minutos depois, percebeu uma movimentação na sala: viu uma figura que não conseguiu identificar se era masculina ou feminina e que não era possível enxergar com nitidez da cintura para baixo porque o pequeno balcão de ferro batido para onde dava a janela não permitia. Tinha empurrado a cadeira de rodas desde o prédio da Barata Ribeiro até o Bairro Peixoto e dado uma volta na praça. Não era muito esforço, mas também não era pouco, e, somado à tensão de manter a conversa com a avó e a vigilância do prédio do delegado, fez com que ela optasse por sentar-se. De repente, nova movimentação na sala: dessa vez viu duas pessoas; pôs-se de pé e ficou atenta a ponto de a avó notar e perguntar se tinha acontecido alguma coisa.

— Nada não, vó. Pensei ter visto uma amiga.

E tinha realmente visto, mas não uma amiga, e sim uma inimiga, uma mulher que parecia bonita, cruzando a sala de braço dado com Espinosa. Verdade que o "bonita" e o "de braço dado" talvez não fossem reais, mas foi como lhe parecera. Ficou ainda uns quinze minutos olhando para a varanda do apartamento de Espinosa, mas não voltou a ver nem o casal nem um dos dois sozinho. Dificilmente sairiam para ir à praia, o tempo não estava muito promissor e provavelmente o clima no apartamento estava mais convidativo. Eram dez horas quando Anita propôs voltarem para casa, podiam passar por alguma loja ou mercadinho e comprar alguma coisa especial para complementar o almoço. Se o casal Espinosa fosse sair pela manhã, já teria dado algum sinal, como fechar as janelas, ir até o pequeno balcão para ver como estava o tempo, ou algo do tipo.

Durante o almoço, Anita lançou um olhar à sala do professor Vicente. Lá estava ele, sentado ao computador, digitando sem parar. Não sentiu nenhum entusiasmo pelo professor. Era previsível demais, tinha menos mistério que um bebê recém-nascido, mas era igualmente autocentrado. O resto do almoço foi dedicado à pessoa do delegado Espinosa e seu apartamento misterioso. Sua acompanhante seria o próximo objeto de investigação imediata.

Às oito horas da manhã seguinte, Anita estava na praça, sentada no banco defronte ao prédio de Espinosa. Supunha que, sendo domingo, céu claro sem vento, o casal aproveitaria para ir à praia. Vestira bermuda e camiseta (com biquíni por baixo), pusera tênis sem meias e um chapéu de algodão, e passara protetor solar; na bolsa de praia, documentos, dinheiro e cartão de crédito, telefone celular e um livro para as grandes esperas. Estava preparada para a primeira batalha. Enquanto prestava atenção na portaria do prédio, ficava também de olho no ponto de táxi da esquina. Calculava que o casal não sairia antes das nove, talvez nem mesmo antes das dez. Contanto que o ponto de táxi não ficasse vazio, podia esperar o tempo que fosse necessário. Se eles saíssem a pé, não haveria problema, ela se sentia com fôlego para seguir quem quer que fosse, ainda mais um casal muito mais velho. Se pegassem um táxi, tinha que estar pronta para agir com rapidez. A primeira hora de espera não demorou muito a passar. Ela não ousou tirar o livro da bolsa; não podia ler e prestar atenção na portaria do prédio ao mesmo tempo. Disfarçava com o jornal que alguém havia deixado sobre o banco. E ele foi útil. A segunda hora de espera transcorreu sem transtorno, mas também sem que o casal descesse à calçada.

As duas suposições que alimentavam a espreita de Anita eram, a primeira, o fato de Espinosa morar sozinho, aquela mulher não era casada com ele, e era de esperar que, tendo passado a noite juntos, ele a levaria em casa pela manhã; a segunda era que aproveitariam o belo dia de sol para ir à praia; e também nesse caso deveriam passar antes pela casa dela. Nenhuma das hipóteses se baseava em dados empíricos ou em informações de terceiros, tratava-se de suposições não muito lógicas e bastante fantasiosas. Caso fossem à praia, Anita teria apenas o trabalho de segui-los por três quadras até chegarem a Copacabana (se essa fosse a praia preferida do casal); caso Espinosa fosse acompanhá-la até sua casa, o mais provável seria pegarem um táxi, e havia um ponto a meia quadra de distância do banco onde ela estava sentada.

Eram dez e quinze quando o delegado Espinosa e a mulher de cabelo negro e pele clara, menos de quarenta anos, corpo bem cuidado, ambos de bermuda e tênis de lona, atravessaram o minijardim do prédio e saíram para a calçada. Anita enterrou o chapéu na cabeça, botou os óculos escuros e rumou para o ponto de táxi, onde havia apenas dois carros. O casal fez o mesmo. Ela não podia chegar antes deles, porque não sabia a direção que tomariam. Tinha que segui-los a curta distância para alcançar um dos táxis sem permitir que o delegado olhasse para trás e a reconhecesse, e sem se distanciar a ponto de correr o risco de alguém aparecer e entrar no outro carro. Quando o delegado e a amiga estavam próximos do primeiro carro, Anita acelerou o passo e, quase correndo, alcançou o outro, estacionado logo atrás; então, viu o casal prosseguir no mesmo passo em que estava e passar pelos táxis à espera de passageiros. Anita ficou visivelmente atordoada e decepcionada com o fracasso do seu plano, que nem sequer se iniciara. Os dois continuaram andando como se estivessem indo para a praia. Mas eles não estavam vestidos como se estivessem indo para a praia, além de não carregarem barraca, e o sol estava bastante forte para que pudessem abrir mão do apetrecho. Os dois seguiram pela rua Anita Garibaldi, atravessaram a Toneleros e desembocaram na Barata Ribeiro, bem defronte à Galeria Menescal; depois de cruzá-la, estariam a duas quadras da praia.

Anita esperou o casal atravessar a Barata Ribeiro e entrar na galeria. Em seguida, atravessou a rua e foi atrás deles. O movimento na galeria fez com que ela os perdesse de vista. Olhou atentamente para a frente e para os lados, mas não viu nenhum dos dois. Na porta e no interior de uma das lojas, havia um número maior de pessoas, era o pequeno restaurante onde Espinosa costumava comprar quibes e esfirras. Imaginou que o casal tivesse entrado ali, e, assim que se postou diante da porta estreita, deu de cara com o delegado.

— Anita, que surpresa agradável — disse Espinosa, sorrindo.

Saíram os três da frente da loja, e ele fez a apresentação:

— Anita, esta é Irene, minha namorada; Irene, esta é Anita, amiga recente, parte de um caso que estamos acompanhando.

— Vocês estão indo à praia? — perguntou Anita, ainda tomada pelo susto do encontro súbito.

— Não, descemos para caminhar um pouco e comprar quibes e esfirras aqui no árabe. Nós preferimos ir à praia em Ipanema, na altura do Posto 9. Irene mora na Maria Quitéria, na quadra da praia. É mais cômodo quando estamos lá.

Anita não sabia o que dizer. Não conhecia bem a praia de Ipanema, seu folclore, as diferentes tribos da areia, os pequenos indicadores da origem dos seus habitantes...

— Bem, então bom passeio para vocês. Prazer em te conhecer, Irene.

— Prazer, também, Anita. Bom fim de semana.

Anita voltou à Barata Ribeiro, rumo a sua casa, feliz porque o fracasso do seu plano se transformara em sucesso. Enquanto andava, refletia sobre o malogro bem-sucedido. Irene, esse era o nome dela. Bonita, charmosa, moradora em Ipanema, na rua Maria Quitéria, no Posto 9, quadra da praia, só faltou dar o endereço completo e o número do telefone. Melhor não podia ser.

Esse era o lado bom da questão, o lado ruim era a figura da namorada do delegado. Não se tratava de uma fulana qualquer que ela pudesse chutar para escanteio e assumir seu lugar no time, mas de uma mulher bonita e sensual, que olhou para ela, Anita, como se fosse a amiguinha que Espinosa conhecera na vizinhança. "Amiga recente, parte de um caso que estamos acompanhando." A frase não queria dizer nada. Anita, para ela, era um nome vazio de conteúdo vivo, sem história, sem vida em comum com eles. Por sorte, esse lado ruim do encontro podia ser descartado. Talvez desse um pouco de trabalho, mas não era impossível fazer acontecer.

No mesmo dia, à tarde, entrou nos sites de busca da internet e digitou "delegado Espinosa/Irene". Encontrou uma única referência ao nome Irene ligado ao de Espinosa. Foi num caso de assassinato em que Irene aparecia como acompanhante de uma das testemunhas; Espinosa conduzia o inquérito. Isso tinha acontecido fazia mais de dez anos, e não havia nenhuma outra referência ao nome Irene nos registros da 12ª DP acessíveis à consulta pública. Dez anos, ela devia ter uns trinta, com muito mais capacidade de sedução do que hoje, quando boa parte da juventude teria sido comida pelo tempo. Ela, Anita, tinha vinte e oito anos e uma herança genética que estava no apogeu de sua potência.

A aproximação não podia se dar como se dera com o professor Vicente, de maneira direta e impositiva. Além da barreira de Irene, havia a barreira do próprio Espinosa. Não se tratava de um homem descompromissado, mas do delegado titular da delegacia que cuidava do caso do professor Vicente, no qual ela estava envolvida. Talvez a melhor estratégia fosse fazer de conta que Irene não existia, que era uma peça neutra no jogo amoroso que teria início em breve... Melhor pensando, no jogo que já tivera início, desde a visita que Espinosa lhe fizera... e que se estendera quando do encontro na Galeria Menescal... e cuja etapa seguinte teria lugar no apartamento de Espinosa, e quem diria que o sinal estava verde para ela e vermelho para Irene seria o próprio Espinosa. Ela apenas cairia no jogo do delegado; e o delegado não era o professor Vicente, sabia muito bem como seduzir uma mulher ou se deixar seduzir por ela.

24.

Na manhã de terça-feira, Espinosa fez um relato sintético para Welber e Ramiro da conversa que tivera com Anita na segunda à noite. Os dois inspetores ouviram com a máxima atenção. No final, ficaram à espera de alguma instrução do delegado.

— Vamos tentar obter de Anita alguma informação que nos conduza ao destino da professora Paula. É pouco provável que nesses dois encontros, ambos regados a álcool, o professor Vicente não tenha dito alguma coisa sobre ela. Até ontem ela não tinha retornado à universidade.

— Duas coisas me intrigam nesse caso. A primeira é a semelhança entre o comportamento do professor com Paula, segundo o relato de Anita, e o comportamento dele com Anita, também conforme relato dela própria. Não estou preocupado com o estilo de abordagem sexual do professor Vicente, mas com o fato de ambos serem descritos por uma das vítimas, Anita. Pode ter acontecido dela ter observado a cena de Vicente e Paula e ter se sentido fortemente seduzida pelo que viu, daí tentar repetir a cena sendo ela a protagonista junto com o professor Vicente. Dito de outra forma: gostou do filme e resolveu assumir o papel de protagonista.

— Faz sentido — disse Welber. — O que não faz sentido é uma mulher linda como Anita precisar de uma preparação tão grande, um jantar na trattoria e um lanche completo montado por ela no apartamento dele, para reproduzir uma cena de nudez com o professor. Bastaria ela dar um adeusinho para ele de sua janela e tudo estaria resolvido.

— Isso, no caso do professor ser um homem normal — prosseguiu Espinosa. — E, segundo ele mesmo disse, a síndrome de Korsakov atinge gravemente a memória, a ponto do portador dessa síndrome perder a própria identidade e não saber quem é. Ou seja, ele é capaz de conhecer Anita pela manhã e à noite não saber quem ela é. Ou o inverso, é capaz de dormir com Anita e acordar na manhã seguinte sem saber o que aconteceu. Além disso, Anita também não parece muito normal, apesar de toda a beleza... ou até por causa da beleza. Foi ela quem concebeu toda essa história nos mínimos detalhes: a campana sistemática sobre o professor; as mensagens a intervalos calculados; a sedução dos porteiros; sem contar o furto da cadeira de rodas. E, vejam bem, ela não só concebeu a história como a narrou detalhadamente para nós. Anita não é uma maníaca sexual, ela é maníaca por situações perigosas... ou as duas coisas juntas.

— E o que fazemos agora? — perguntou Welber.

— Primeiro temos de descartar, sem que fique nenhuma dúvida, a hipótese de Anita ter afastado Paula do seu caminho, sabe-se lá como ela faria isso, eliminar a atriz principal do filme. Segundo, temos de garantir que o professor Vicente não tenha feito isso antes, afinal de contas a nova candidata ao papel principal justificaria qualquer ousadia; terceiro, temos de nos assegurar de que não foi um trabalho feito a quatro mãos. Finalmente, temos de provar que nenhuma das hipóteses acima é delírio, não dos protagonistas da história, mas meu — respondeu o delegado Espinosa.

Antes do almoço, Espinosa telefonou para o professor Vicente a fim de combinar uma hora para conversarem sobre acontecimentos recentes.

— Quando o senhor quiser, delegado.

— Pode ser hoje à tarde? Entre duas e três está bem para o senhor?

— Está ótimo.

— O senhor faz alguma objeção a que o encontro seja no seu apartamento? Ou prefere que seja na delegacia?

— Aqui no meu apartamento está perfeito, delegado, nem preciso sair de casa. Entre duas e três estarei à sua espera.

Espinosa preferiu comer sanduíche acompanhado de refrigerante, antes do encontro; seria mais leve que o prato do dia num dos seus restaurantes prediletos. Pelo menos era o que ele achava. E ainda teria tempo para uma caminhada até a praia, para olhar o mar. Era um dispositivo que sempre o ajudava em suas reflexões sobre as pessoas.

Às duas horas, tocava a campainha do apartamento do professor Vicente, que abriu a porta de imediato.

— Delegado Espinosa, que prazer ter o senhor na minha casa.

— O prazer é meu, professor Vicente.

— Sente-se no sofá, é mais confortável. Se me permite, sentarei na minha cadeira de trabalho, ela já assumiu a forma do meu corpo.

— Claro, professor, sinta-se à vontade. Não se trata de uma visita oficial, embora o assunto diga respeito a uma pessoa sobre a qual já falamos há algum tempo, a professora Paula.

— Ela apareceu?

— Infelizmente, não. E creio que teremos de ampliar e aprofundar a busca. E esse é o motivo da minha visita. Não se trata, porém, de uma investigação preliminar. Gostaria apenas que o senhor me falasse sobre a professora Paula.

— Claro, delegado. O que o senhor quer saber sobre ela?

— Primeiramente, qual foi a última vez que o senhor a viu.

— Foi durante um passeio de carro pela orla marítima que culminou com um almoço no Recreio dos Bandeirantes.

— E depois?

— Ela veio me deixar em casa e acabou dormindo aqui.

— O senhor, em algum momento desse encontro, saiu correndo atrás dela pelo apartamento, ambos nus?

— Delegado, acho que me lembraria de uma cena como essa, mas não tenho a mínima lembrança de nada que se assemelhe a ela.

— Peço desculpas pelo caráter íntimo da pergunta.

— Sem problema, foi uma pergunta engraçada.

— O senhor nos consultou uma vez para saber se o estávamos vigiando do prédio em frente.

Ato reflexo, Vicente voltou o olhar para o apartamento de Anita.

— É aquele, o apartamento? — perguntou Espinosa.

— Sim, é... Ela não tem olhado nos últimos dias... pelo menos eu não percebi.

— O nome dela é Anita?

— O senhor a conhece? — indagou Vicente, surpreso.

— Conheci recentemente — disse Espinosa —, e parece que o senhor também.

— Além de me vigiar com um binóculo, ela me enviava mensagens pela internet, e um dia tocou a campainha e perguntou se podia entrar, disse que queria me conhecer. Eu achei aquilo muito estranho. Uma moça linda, jovem, atraente vem bater à minha porta querendo entrar para me conhecer... Alguma coisa estava errada... Eu disse que não... Ela ficou indignada e foi embora. Mas continuou enviando mensagens e me vigiando com o binóculo. Até que um dia propôs que jantássemos na trattoria que fica a uma quadra daqui. Aceitei e foi assim que nos tornamos amigos.

— Quão amigos?, se me permite a pergunta.

— O suficiente para ela propor um lanche aqui no meu apartamento no domingo. Ela mesma cuidaria de tudo. E foi o que aconteceu.

— O lanche transcorreu normalmente? Ela voltou para casa logo depois que terminaram de lanchar?

— Acho que sim.

— O senhor acha que sim? O que aconteceu durante esse lanche?

— Eu não sei.

— O senhor teve uma crise?

— Não. Não foi isso. No meio do lanche ela pediu licença para ir ao banheiro. Nós já tínhamos bebido duas garrafas de vinho. Vi que ela estava um pouco tonta. Eu também estava. A partir desse momento não sei de mais nada. Acordei na manhã seguinte, nu, coberto com o lençol. Ela não estava na cama. Me levantei com dificuldade, o despertador marcava cinco para as dez. Chamei pelo nome dela, que levei um tempo para lembrar qual era, não houve resposta. Fui até a sala. Estava tudo arrumado, não havia vestígio do lanche da véspera nem na sala nem na cozinha. Achei que não tinha acontecido lanche nenhum, que tudo tinha sido um sonho... ou um dos meus delírios... A faxineira estava na sala esperando que eu acordasse.

— Vocês tiveram relação sexual? Completa ou incompleta?

— Não sei... por incrível que pareça...

— Ela não deixou nenhum bilhete?

— Delegado, eu acho que ela não esteve aqui. Ontem foi dia da minha faxineira fazer a faxina quinzenal ou mensal, sei lá, e ela passou o aspirador de pó na sala, lavou a cozinha e retirou o lixo. Como de costume, ela entrou no apartamento sem tocar a campainha, para não me acordar; caso eu esteja no quarto, ela inicia a faxina pela sala. Pode ter acontecido isso. O incrível é que me lembro de Anita chegando com as sacolas de compras, as garrafas de vinho... Não é possível que nada tenha acontecido. O pior é que tanto pode ter acontecido e eu ter esquecido, como pode não ter acontecido nada e eu ter fabulado o lanche com Anita.

— Pode acontecer do senhor esquecer completamente um fato recente e tempos depois tornar a lembrar?

— É uma pergunta muito difícil de responder, porque, quando eu esqueço, eu também esqueço que esqueci. De modo que, mesmo que o fato retorne à consciência, eu não tenho como saber se se trata de uma lembrança ou de um fato que está se dando pela primeira vez.

— Mais uma pergunta, professor. Anita e Paula alguma vez se encontraram?

— Não que eu saiba.

Espinosa se levantou, pediu licença para ir até a janela, e ficou olhando para o prédio em frente, particularmente para o apartamento onde morava Anita.

— A essa hora ela está no trabalho, só chega por volta das seis, seis e meia — disse o professor Vicente, se levantando.

Dirigiram-se à porta; foi quando Espinosa viu a cadeira de rodas encostada na parede. Olhou para Vicente, mas, antes que lhe fizesse alguma pergunta, o professor disse:

— Não é minha, isto é, me pertence, mas não é minha. Estava no quarto de guardados, no terraço do prédio, em meio a inúmeras malas e caixas, e trazia no encosto uma etiqueta bem antiga, mas forte e bem colada, com o meu nome e o número do meu apartamento. Ninguém sabe há quanto tempo está guardada no quarto trancado a cadeado. Não tenho a mais vaga lembrança de ter guardado a cadeira no terraço nem de ter usado cadeira de rodas uma única vez que fosse. Agora está encostada na parede como relíquia de uma batalha que nem sei qual foi mas que aparentemente venci.

Despediram-se na porta do apartamento.

25.

De volta à delegacia, Espinosa convocou Welber e Ramiro, e fez um relato da conversa que tivera com o professor Vicente.

— Alguma coisa aconteceu domingo à noite no apartamento do professor, mas nem ele mesmo sabe dizer o que foi. E não apenas isso, ele nem sabe dizer se efetivamente aconteceu alguma coisa. Ele pode ter tido relações sexuais com Anita, e tudo indica que isso pode ter acontecido, mas ele não se lembra de absolutamente nada. Ele concorda que pode estar fabulando.

Welber e Ramiro quase pularam das cadeiras. Antes que abrissem a boca para dizer sabe-se lá o quê, Espinosa interveio:

— Calma, não se afobem nem fiquem com raiva dele. O professor está sofrendo muito mais do que vocês dois juntos. Passar a noite com uma mulher como Anita e na manhã seguinte não ter a menor ideia do que aconteceu ou, mais ainda, se aconteceu, isso já seria suficiente para deixar o professor enlouquecido. E, no entanto, ele não apenas não está enlouquecido, como nem sequer se esforça para lembrar o que aconteceu. Além do mais, o problema não se resume em saber se eles treparam ou não treparam, mas em descobrir o que pode ter acontecido no transcorrer do lanche que foi por ele completamente eliminado da memória e que fez Anita silenciar e sumir de cena. Agora é a vez de vocês. Sugiro que procurem o diretor da Faculdade de Letras e perguntem sobre o destino da professora Paula.

Welber e Ramiro já tinham ligado naquele mesmo dia para o diretor da faculdade, professor Marcos, e combinado um encontro para o dia seguinte, às dez horas da manhã. No horário marcado, a secretária do diretor acompanhou os dois inspetores ao gabinete dele. Esperavam encontrar um senhor de cabelos grisalhos, óculos de aro de metal, terno mal passado e gravata lisa quase sem cor. O homem que se levantou para cumprimentá-los era alto, surpreendentemente jovem, porte atlético, e vestia calças jeans e camisa polo. Assim que começaram a conversar, Welber percebeu que ele não era tão jovem como aparentava, a fala era segura, e o conteúdo mostrava que ele não era o diretor da faculdade por sua bela figura.

Ramiro explicou em linhas gerais o motivo pelo qual tinham ido procurá-lo.

— Antes de mais nada, professor, queremos saber se há mais de uma professora Paula ou Ana Paula ou Maria Paula na faculdade. A que estamos procurando foi descrita como tendo idade entre quarenta e cinquenta, bonita, corpo atlético e ágil aparentando mais quarenta do que cinquenta. É professora do Departamento de Letras há mais de dez anos e, no presente ano letivo, dá aulas e orienta teses às quintas-feiras na Escola de Comunicação, no campus da praia Vermelha.

— Com esse conjunto de dados, ela certamente seria localizada. E digo *seria* porque conheço três professoras Paula aqui na Faculdade de Letras, nenhuma delas é apenas Paula, duas são Ana Paula e uma é Maria Paula, mas nenhuma se aproxima da descrição que os senhores fizeram. Uma delas está se aposentando, faz setenta anos dentro de poucos meses; outra deve estar beirando os sessenta; a terceira é bem mais nova, está na faculdade há cinco ou seis anos e em nada coincide com a descrição feita.

— E nenhuma Paula ao longo da última década pediu transferência, demissão, aposentadoria por doença, ou qualquer outra forma de afastamento?

— É possível. Mas nesse caso teria acontecido há mais de dez anos, quando eu estava ocupado com o meu doutorado. De qualquer maneira, não me lembro de nenhuma professora com as características físicas que vocês apontaram.

— O senhor foi contemporâneo do professor Vicente Fernandes, aposentado por invalidez há mais ou menos dez anos?

— Lembro perfeitamente dele. Fomos colegas quando alunos e depois quando professores. Foi uma pena, a aposentadoria compulsória dele, era um bom professor.

— A informação que temos é que essa professora Paula era colega dele.

— Pode ter sido, mas por muito pouco tempo. Realmente não me lembro. A única professora Paula da minha época foi essa que eu disse que está para se aposentar agora, aos setenta anos. Naquele tempo, tinha sessenta, e, por melhor que fosse sua forma física, ela não corresponde à descrição que o senhor fez, e nunca deu aulas na Escola de Comunicação, ela não dirigia e tinha horror a se deslocar daqui do Fundão para a praia Vermelha, e vice-versa.

— Resumindo: não há nenhuma professora Paula, afastada por licença-saúde, de férias, em ano sabático, fazendo mestrado, doutorado, especialização, fora do Rio ou do Brasil — disse Ramiro.

— Não no atual corpo docente, inspetor. Mas, se por acaso aparecer alguma ovelha desgarrada, avisarei imediatamente os senhores.

O diretor acompanhou os policiais até a porta. Quando estavam saindo, Welber perguntou:

— Professor Marcos, já que o senhor foi colega do professor Vicente, há alguma maneira de nós entrarmos em contato com a ex-esposa dele?

— Mas ele nunca foi casado. E, que eu saiba, permanece solteiro até hoje.

Welber e Ramiro se entreolharam.

— Obrigado, professor.

Os dois inspetores retornaram à delegacia a tempo de almoçar com Espinosa, ou melhor, encontraram o delegado na calçada, dirigindo-se à Barata Ribeiro, caminho de um dos seus locais prediletos de almoço.

— Olá, voltaram cedo. Bom sinal ou mau sinal?

— Depende do ponto de vista, delegado.

— Escolham um e comecem a contar até chegarmos à trattoria.

— Quer dizer que hoje é dia de trattoria. Por conta da delegacia ou do bolso dos pobres policiais?

— Do bolso dos pobres policiais, é claro! — respondeu Espinosa.

— Então vamos lá. Da próxima vez, podemos chamar mais dois ou três colegas e formarmos um exército Brancaleone para invadir a trattoria.

— Não antes de vocês me contarem em doze palavras o resultado do encontro — disse o delegado.

— Não existe nenhuma Paula que coincida com a descrição que temos, delegado.

— Não existe?

— Nos últimos dez ou doze anos, a faculdade teve três professoras Paula: duas Ana Paula e uma Maria Paula. Nenhuma delas corresponde em idade, características físicas e atividade universitária àquela que estamos procurando.

Espinosa diminuiu o passo, para não entrar logo no restaurante, e disse:

— Isso não quer dizer que a pessoa que, segundo a narrativa do professor Vicente, se encontrava com ele para almoçarem e com quem ele foi até o Recreio dos Bandeirantes e depois para o apartamento dele, não exista. Ele pode ter inventado a história e o personagem, mas não a pessoa. Ou ainda, a história que ele contou pode ser verdadeira em todos os detalhes, e não ser verdadeira no que se refere à identidade do personagem. O personagem da cena em que ele corre nu atrás de uma mulher nua nunca foi nomeado. Aliás, a própria cena não foi assumida por ele. Quem nos contou essa parte da história não foi ele, foi Anita.

— Mas a história, ele de fato nos contou. A narrativa é verdadeira, mesmo que todo o resto seja falso — disseram, meio embolados, Welber e Ramiro.

Entraram no restaurante e a conversa foi suspensa.

Ao saírem, Espinosa fez um sinal para que continuassem. Foi Welber quem se adiantou.

— Eu tenho para mim que há uma mulher, se é Paula ou Maria é secundário, que realmente saiu com ele de carro, que realmente almoçou com ele na lanchonete da universidade, e que transou com ele, transa essa que resultou numa crise convulsiva com perda de consciência. Foi a partir daí que ele deu sumiço não na mulher que transou com ele, mas no personagem Paula.

— O suposto crime cometido por ele só aconteceu no enredo da história, não no mundo real — acrescentou Espinosa. — Isso, no que se refere a Paula, que nenhum de nós viu. Não podemos transpor o mesmo raciocínio para Anita. O jantar dela e do professor na trattoria pode ser confirmado pelos garçons e até mesmo pelo proprietário do restaurante. Temos também o testemunho do porteiro do prédio dela. Fica mais difícil confirmar o lanche que ela teria preparado no domingo no apartamento do professor. Não temos nenhuma prova desse lanche, se foi ou não foi um evento real, nem do que teria acontecido com os dois participantes durante o lanche e depois dele ter terminado. Paula é para nós uma suposição, Anita é uma pessoa real... demasiadamente real. O que ainda não sei é se ela é tão normal quanto real.

— Há mais um detalhe, delegado.

— Qual detalhe?

— O professor Vicente nunca foi casado.

— Quê?

— Isso mesmo que o senhor ouviu. O professor Vicente Fernandes é solteiro até hoje. Nunca existiu uma senhora Vicente Fernandes.

26.

Quando Anita chegou do trabalho na quinta-feira à noite, encontrou uma mensagem de Vicente no seu computador, de vinte minutos antes, convidando-a para um pequeno jantar na sexta, às oito horas, no apartamento dele. Assim que leu a mensagem, Anita foi à janela e acenou para Vicente, que esperava o aceno como um gesto de aceitação do convite.

Enquanto tomava banho e vestia uma roupa de ficar em casa, Anita pensava no convite de Vicente e em como poderia aproveitá-lo para a etapa seguinte do jogo de sedução com Espinosa. "Ligue para o meu celular, qualquer dia e a qualquer hora", dissera ele. Pois bem, por que não no dia seguinte, sexta-feira, noite do jantar com Vicente e provavelmente, pelo que vira na manhã de sábado, noite que o delegado Espinosa passava na companhia de sua bonita namorada Irene? Não seria uma ação de corpo presente, apenas de voz presente. E para isso bastava telefonar.

Pegou o binóculo e foi para a janela. O professor Vicente continuava entregue à sua saga pessoal com Edgar Allan Poe. No dia seguinte, teriam um jantar a dois, no apartamento dele, e o delegado Espinosa ainda não sabia disso. Desde que estabelecera uma ligação mais pessoal com Espinosa, a figura do professor Vicente perdera grande parte do interesse que tinha para ela. Na verdade, não era propriamente interesse o que ela sentia por ele, mas curiosidade, e também um pouquinho de medo, o que alimentava o interesse remanescente.

A sexta-feira amanheceu com céu azul e temperatura agradável. Não que isso tivesse alguma importância para Vicente, que vivia numa espécie de incubadora, protegido dos estímulos ambientais, mas naquela manhã ele decidira tomar café no bar e pretendia comprar alguns complementos para o jantar, já que o principal encomendaria a um restaurante próximo de onde morava, no início da tarde. Estava feliz com o encontro. Seria um momento perfeito para tentar esclarecer as regiões de sombra relativas ao lanche do domingo anterior. Não se preocupara em anotar os pontos mais destacados do lanche. Dele, restava apenas uma lembrança vaga do clima agradável que persistira durante a refeição propriamente dita, mas a parte final e o que se seguira a ela desapareceram completamente da memória, a ponto de ele se perguntar se de fato houvera algum "depois", se, passados alguns minutos, Anita não teria se despedido e retornado ao seu apartamento do outro lado da rua, embora essa fosse uma hipótese improvável. Daí sua preocupação em anotar, num dos vários blocos que espalhara pela casa, os momentos mais significativos do próximo encontro. Sabia que já tinha havido dois encontros, não porque lembrasse, mas por causa das mensagens enviadas por Anita. Do primeiro, na trattoria, não restara nenhuma lembrança, não sabia nem mesmo, apesar das mensagens de Anita, se teria se realizado; do segundo, o lanche, restara pouco mais que uma vaga impressão. Por isso, a preocupação com o registro escrito. No meio da tarde, encomendou por telefone o que planejara para o jantar, conferiu se as compras que fizera pela manhã eram suficientes, deixando para o início da noite a encomenda dos sorvetes para a sobremesa.

Ao retomar a tradução de Poe, constatou que faltavam apenas três páginas para terminar a parte do trabalho dedicada aos contos. Para ele, era como se estivesse prestes a concluir o livro, já que as outras partes não o interessavam tanto e poderiam ser completadas como se fossem textos técnicos. Às seis horas, tomou banho, trocou de roupa e voltou ao computador, para continuar a tradução enquanto esperava por Anita. Com a proximidade da chegada de sua vizinha, ficou um pouco nervoso. Nada que o deixasse perturbado, mas que ele sentia como a corrente que passa por baixo da superfície do rio quase sem provocar alterações visíveis. Assim ele sentia seu corpo. Tomou antecipadamente a medicação da noite e deixou à mão os remédios mais fortes para o caso de uma necessidade repentina. Mas tinha certeza de que dessa vez tudo correria bem. Olhou algumas vezes para o apartamento em frente, na expectativa de que ela aparecesse e acenasse de novo com entusiasmo, mas isso não aconteceu, e ele sentiu a corrente fluvial se movendo lentamente, sem manifestar sintomas na superfície. Faltando cinco minutos para as oito, Anita passou pela sala do seu apartamento em direção à porta e, sem se deter, virou-se e acenou, sabendo que ele estaria com a cadeira giratória voltada para a janela. A movimentação fluvial cessou e ele se transformou num lago sereno. Levantou-se e foi verificar se a porta estava destrancada, mesmo sabendo que estava.

Anita chegou numa deslumbrante simplicidade. Afinal de contas, era só atravessar a rua, pensara ela ao se vestir, nada de mais ir de bermuda e camiseta.

Vicente não lera o pensamento dela, mas foi espontâneo ao declarar:

— Lindamente simples e simplesmente linda.

— Obrigada. Trouxe um vinho. Como não sabia o que íamos comer, trouxe um tinto, que na minha opinião combina com tudo, carne, massa, peixe, aves, pão, queijo...

Vicente pegou a garrafa e colocou-a sobre a mesa junto de outra que ele comprara à tarde, também um tinto. Preocupado com o gosto de Anita, comprara também um branco. Como ao chegar ela citara pão e queijo, e ele tinha posto pão e queijo na mesa, decidiu abrir a garrafa que ela trouxera, como introdução ao jantar.

— Que tal conversarmos sentados à mesa? O jantar está pronto. A única coisa que me cabe fazer é aquecê-lo ligeiramente. Pode ser no forno do fogão, que já está quente. Quando quisermos dar início ao jantar propriamente dito, é só colocar a travessa no forno — disse Vicente.

— Que maravilha! Além de professor e tradutor, você é também cozinheiro.

— Não, querida, a única coisa que sei fazer é ovo: cozido, frito ou poché.

— Bom, já são três pratos. Se não for alérgico a ovo, seu cardápio está completo.

— Por falar em alergia, você tem algo contra posta de bacalhau na brasa? — perguntou Vicente.

— Posta de bacalhau na brasa? Adoro. Por quê? Nós vamos a um restaurante? Não estou vestida adequadamente.

— Não vamos ao restaurante, o restaurante é que veio até nós. Quer dizer, não o restaurante com os garçons, maître etc., apenas o prato, que, aliás, está apenas à espera de ser aquecido.

— Então, que estamos esperando?

Brindaram ao sucesso do encontro, entabularam uma conversa relaxada e foram os dois à cozinha, com as taças de vinho na mão, verificar como estava o jantar. Vicente sentia todo o nervosismo da espera desaparecer e estava pronto para uma noite inesquecível.

"Inesquecível." Essa foi a palavra que deu realmente início à noite do casal. A primeira dúvida que ela desencadeou foi: "Como evitar que esta noite seja esquecida antes mesmo de terminar?". A vista de Vicente ficou levemente turvada, e, antes que obscurecesse por completo, ele foi até a sala sem dizer nada. Anita o seguiu.

— Que aconteceu?

— Por enquanto, nada. Mas pode acontecer, e vou evitar que aconteça.

Pegou o que parecia uma caixa de sapatos dentro da qual havia várias caixas de remédio, todas com tarja preta, retirou uma delas, destacou um comprimido e o tomou.

— Sente-se um pouco, enquanto vou ver se o bacalhau está quente — disse Anita, e deixou Vicente sentado à mesa, voltado para a janela.

O jantar estava numa travessa de vidro refratário: duas grandes postas de bacalhau, assadas na brasa e acompanhadas de batatas cozidas. Anita constatou que estava quente, cheiroso e, antes mesmo de prová-lo, diria, delicioso. Desligou o forno, mas não retirou a travessa, daria um tempo para Vicente se recuperar. Voltou à sala e sentou-se ao lado dele.

— Como você está? — perguntou.

— Melhor. Esse remédio que acabei de tomar tem um efeito quase imediato. Logo mais estarei recuperado.

— Então vamos esperar um pouco. Você poderá saborear melhor o bacalhau.

— Não se preocupe, estou bem. Podemos dar início ao jantar — disse Vicente.

Anita foi à cozinha e trouxe a travessa com o bacalhau.

— Está magnífico — disse ela, ao depositar o prato na mesa.

— Você provou? — quis saber Vicente.

— Só com os olhos — respondeu ela, recobrando o sorriso.

Vicente serviu vinho para ambos e em seguida o bacalhau.

Assim que o peixe e o vinho fizeram seu efeito benéfico, Anita perguntou:

— E como está a tradução?

— Falta menos de uma página. Talvez o último parágrafo.

Anita quase se levantou para dar vivas.

— Então termina hoje! Fico com você até a última linha — disse, excitada e quase suplicante.

— Por que esse entusiasmo? Não estou escrevendo o conto, estou apenas traduzindo. O autor é Edgar Allan Poe. Eu sou Vicente Fernandes.

— Seu trabalho é tão importante quanto o dele.

— Não se trata de importância. O que eu faço pode ter importância editorial, cultural, linguística, mas a criação foi dele.

— Você está recriando o que ele criou, está criando diferente, não está repetindo o que ele fez. Você não está digitando o texto de Edgar Allan Poe, está *traduzindo* Poe. E eu quero estar ao seu lado na hora em que puser o ponto final.

Anita parecia a Vicente um pouco mais excitada que o normal, embora ele não fosse capaz de avaliar qual seria o nível normal dela, seu nível de cruzeiro, como diria um navegador, mas, qualquer que fosse, poderia ser regulado com um dos seus comprimidos. Bastaria deixar cair um pedacinho na taça de vinho dela. O comprimido não tinha gosto de nada. Uma vez diluído no líquido, ela não perceberia sua presença. No decorrer do jantar, Anita saiu da mesa duas vezes para ir à cozinha, ocasiões que Vicente aproveitou para diluir uma pequena fração do comprimido numa taça extra cujo conteúdo poderia ser derramado na taça de Anita.

— Desculpe, querido, mas, quando saí de casa, minha avó não estava passando bem; fui perguntar à acompanhante como ela está. No momento está bem. Disse para ela me ligar caso haja alguma alteração.

— Claro. Se ela tiver alguma dificuldade com o celular, pode ligar para o fixo.

— Obrigada. Eu já tinha dado o número a ela. Mas não vamos deixar que isso perturbe nosso jantar.

— Um brinde à recuperação de sua avó — disse Vicente, levantando a taça de encontro à de Anita, que nem de longe deu sinal de ter notado alguma diferença no sabor do vinho.

Para ter uma boa desculpa caso ela percebesse alguma alteração no sabor, Vicente tinha aberto outra garrafa de marca diferente, de modo que qualquer alteração anunciada por ela seria atribuída à mudança de marca do vinho. Havia ainda bastante bacalhau, e depois do bacalhau havia a sobremesa e queijos, e naturalmente mais vinho. A conversa continuou, ainda mais alegre tanto pelo assunto como pela quantidade de vinho ingerido. Anita consultava o relógio, sem que o professor notasse, a cada meia hora. Chegada a hora dos queijos, ela propôs que Vicente concluísse a tradução do último conto.

— Você disse que faltava apenas o último parágrafo. Vou até a janela dar mais uma ligada para ver como está minha avó e volto já para sentar ao seu lado.

Foi até a janela, mas ela estava trancada.

— Vou tentar lá nos fundos. Aqui meu celular não pega bem. Acho que é a janela dupla.

Voltou aos fundos do apartamento e ligou da área de serviço, que era aberta. Eram dez e meia. Espinosa atendeu ao primeiro toque.

— Espinosa falando.

— Espinosa, que bom. É Anita.

— Anita, algum problema?

— Ainda não sei. Você pode falar?

— Estou com Irene. Mas aconteceu algo? Onde você está?

— Estou no apartamento de Vicente.

— De quem?

— Do professor Vicente, meu vizinho do prédio em frente.

— Sei quem é Vicente. E o que você está fazendo aí?

— Acho que a mesma coisa que você está fazendo aí.

— O que estou fazendo é de minha exclusiva conta. Quanto a você, eu tinha te avisado para não voltar aí sozinha.

— Estávamos jantando, e ele agora está lendo Edgar Allan Poe para mim... E você não tem autoridade sobre minha vida privada. Se quiser dar ordem, dê a essa senhora que está aí ao seu lado.

— Tudo bem. Foi você quem ligou para mim.

— Você disse que eu podia ligar qualquer dia, a qualquer hora!

— Verdade. E eu te atendi. Só não sei por que está gritando. Além do mais, são quase onze horas da noite de uma sexta-feira e eu estou deitado com minha senhora, como você disse.

— Não foi isso que eu disse! E eu não estou gritando!

— Boa noite, Anita. Nos falamos amanhã.

— Não quero falar amanhã! Quero falar hoje!

Espinosa tapou o fone com a mão e pediu a Irene que ligasse para Welber de outro aparelho.

— Você está me ouvindo, delegado? Não vem aqui me salvar? — Anita continuava gritando.

— Welber, se você estiver em casa, dê um pulo rápido no apartamento do professor Vicente. Ele ou Anita estão precisando de auxílio. Ligue para mim assim que chegar e descobrir o que está acontecendo.

Vicente se aproximou por trás de Anita, passou o braço em torno dela.

— Venha, vamos para a sala. Vou ler o último parágrafo para você.

Anita enrijeceu o corpo e foi aos poucos relaxando. Mantinha os olhos fechados e tinha jogado o celular na área interna do prédio.

Vicente levou-a até a sala.

— Não terminei de tomar meu vinho.

— Aqui está sua taça. Só tem mais um gole.

O vinho acalmou um pouco Anita.

— Último parágrafo — anunciou Vicente, e passou para a cadeira que ficava sempre defronte ao computador.

Acomodou Anita na poltrona ao lado de modo que ela ouvisse o que ele dizia à medida que traduzia o texto. No entanto, mal começara a ler a última página, da qual faltava apenas o último parágrafo, que propositadamente ele não terminara de traduzir, Anita deu sinais de que cedia ao vinho e ao ansiolítico anticonvulsivante acrescentado por ele em porções mínimas,

mas com efeito cumulativo, à taça dela. Vicente lia o texto com voz monótona, parecendo uma cantilena, e isso foi adormecendo Anita. Quando ele percebeu que ela estava prestes a dormir, alteou a voz e declarou concluído o conto. Anita tomou um susto e fez um gesto canhestro, tentando expressar um hurra!, para em seguida tombar de lado no ombro dele.

— Agora está na hora de irmos para a cama — disse ele.

— Isso mesmo — respondeu Anita.

Tentou se levantar, mas não conseguiu. Vicente segurou-a pela cintura e ela conseguiu ficar de pé.

— Preciso tirar a roupa — murmurou Anita.

— Primeiro vou te levar em casa. Depois você tira a roupa.

Vicente pegou a cadeira de rodas, abriu-a, estendeu o apoio dos pés, travou as rodas e, com esforço e um pouco de ajuda de Anita, sentou-a e afivelou as correias e o cinto. Saiu para o corredor, fechou a porta e chamou o elevador. Ao passar pelo porteiro, que ele não sabia se era Fernando ou Francisco, disse:

— Vou levá-la em casa.

Saiu pela Barata Ribeiro, atravessou no sinal, mas, ao chegar ao outro lado da rua, em lugar de seguir pela calçada até o prédio de Anita, desceu a rua Paula Freitas rumo à avenida Atlântica, atravessou a avenida Copacabana e continuou em direção à praia. Não foi difícil nem cansativo caminhar as duas quadras que faltavam. Os motoristas tinham paciência quando viam um senhor, àquela hora, empurrando uma mulher numa cadeira de rodas; ele atravessou as duas pistas da avenida Atlântica, chegando finalmente à calçada junto à areia. Parou um pouco com a cadeira voltada para o mar, olhou para a direita e para a esquerda, e optou pela esquerda. Apesar de ser sexta-feira, a calçada estava quase vazia, ao contrário da que fica diante dos prédios, com seus hotéis e restaurantes, onde a qualquer hora do dia ou da noite tem gente andando. Vicente foi empurrando a cadeira de rodas na direção do começo da praia, no Leme. Andava sem pressa, como se procurasse o ponto de parada ideal. Ainda estava confuso com o resultado do jantar interrompido abruptamente por Anita. Achou que não adiantaria perguntar a ela o que causara seu afastamento repentino da mesa, seguido dos gritos no telefone na área de serviço. Depois de empurrar a cadeira um trecho correspondente a cerca de cinco quadras, parou próximo a um dos bancos de pedra junto à areia, sentou-se e dobrou o corpo para ver se Anita continuava dormindo.

— Último parágrafo — disse a ela, elevando a voz para so-brepor-se ao ruído das ondas —, parágrafo final de "O escaravelho de ouro": "... Mas, terminada a tarefa, ele julgou conveniente fazer desaparecer todos os que soubessem do segredo...".

Parou para ver se Anita tinha ouvido. Esperou uma palavra, um olhar, mas não houve resposta. O mar não estava agitado e as ondas não estavam altas, o barulho da arrebentação não a impediria de escutar o que ele acabara de dizer. Mas Anita não se moveu. Nem uma palavra, nem um murmúrio, nem um movimento de mão ou de cabeça. Vicente agachou-se ao lado da cadeira e colou seu corpo ao corpo de Anita, que estava imóvel, sem sinal de vida. Procurou ouvir as batidas do coração, aproximou o rosto da boca e do nariz de Anita para sentir sua respiração, mas não conseguiu distinguir nem a respiração nem as batidas do coração. Ficou olhando para ela sem entender. Ela estava inteira, não estava desmembrada. Não lhe faltava nada. Sentiu-se tonto e, antes de perder os sentidos, tirou do bolso a caixa de remédio que trouxera.

27.

Espinosa foi acordado de madrugada pelo telefonema de Welber.

— Delegado, desculpe acordá-lo, mas acho bom o senhor vir até aqui.

— Aqui onde? — perguntou Espinosa, levantando-se da cama e saindo do quarto para não acordar Irene.

— Estou na avenida Atlântica, na calçada junto à praia, próximo à praça do Lido.

— Que aconteceu? — indagou o delegado, vestindo a calça enquanto prendia o celular com o ombro.

— Delegado, é melhor eu contar diretamente para o senhor.

— Está bem, em poucos minutos estarei aí.

Espinosa chegou à praia meia hora depois. Welber estava sentado num banco de pedra na calçada, com a cadeira de rodas ao lado, encostada no banco.

— Então, que aconteceu?

— Delegado, quando o senhor telefonou para mim, fui direto ao prédio do professor Vicente, mas o porteiro disse que ele tinha ido levar dona Anita em casa. Fui ao prédio dela, e o porteiro disse que dona Anita ainda não tinha voltado e que o namorado dela, o professor Vicente, não tinha estado lá. Voltei ao prédio do professor e pedi ao porteiro para subir comigo até o apartamento dele. A porta estava encostada e não tinha ninguém em casa. Vi que a cadeira de rodas não estava atrás da porta. Perguntei ao porteiro e ele respondeu que o professor tinha saído empurrando a cadeira com a dona Anita sentada, dormindo. Voltei ao prédio em frente e o porteiro disse que estava na portaria desde as oito horas da noite e que não tinha se afastado dali em momento nenhum e que ninguém entrou no prédio numa cadeira de rodas. Saí pela rua em busca dos dois. Demorei meia hora para encontrar a cadeira. Mas nem Anita nem o professor Vicente estavam à vista. Pensei que pudessem ter descido à areia para passear à beira-mar; pulei para a areia e fui procurar o casal. Andei para a direita e para a esquerda. Nada. Não havia ninguém caminhando à beira da água; também não estavam sentados ou deitados, pelo menos no trecho que percorri. Voltei ao ponto onde encontrara a cadeira. Achei que eles pudessem ter procurado num quiosque ou num posto de salvamento, ou mesmo num restaurante do outro lado das pistas, um banheiro ou alguma ajuda. Esperei mais um pouco pelo que eu já estava achando uma improvável volta deles, mas me convenci que não estavam mais pelas redondezas. Foi quando liguei para o senhor.

— Você comunicou o ocorrido à nossa delegacia ou a alguma especializada?

— Ainda não, estava esperando o senhor chegar. Além do mais, há muita coisa a ser vista no apartamento. A mesa está posta com um jantar inacabado e várias garrafas de vinho vazias; várias caixas de remédio com tarja preta em cima da mesa; um celular espatifado na área interna do prédio que, segundo o porteiro, deve ter caído de um andar alto, ele ouviu o barulho e recolheu o que sobrou; há ainda vários blocos espalhados pelo apartamento com anotações referentes às últimas semanas da vida do professor, não li o conteúdo, apenas passei os olhos... Tranquei o apartamento e trouxe a chave.

— Verifique se tem alguma coisa de valor na bolsa atrás do encosto da cadeira, enquanto peço uma patrulha da PM.

A patrulha chegou logo em seguida, com o patrulheiro e um tenente que já conhecia o delegado Espinosa.

— Tenente, não sabemos ainda o que aconteceu, mas esta cadeira de rodas carregava uma moça de vinte e oito anos, loura de olhos azuis, e era empurrada por um homem de cinquenta anos, branco, bem-apessoado, professor universitário. Ambos sumiram a partir deste ponto, abandonando a cadeira. Fizemos uma varredura superficial pela beira do mar. Você tem como solicitar apoio para fazer uma varredura mais ampla pela areia? Eles não podem ter ido muito longe. A moça não estava passando bem, daí a cadeira de rodas. Vou procurar no apartamento de onde eles vieram alguma pista que possa nos ajudar na busca.

— Pode deixar, delegado, vou pedir auxílio.

Espinosa deixou seu cartão com os números de telefone de onde poderia ser encontrado, incluindo no verso o telefone do apartamento do professor Vicente. Avisou o plantão da sua própria delegacia sobre o seu destino e seguiu para o apartamento do professor, acompanhado do inspetor Welber.

Em poucos minutos, o porteiro Francisco (ou Fernando) abria a porta para eles. Espinosa se apresentou e disse que ele e o inspetor Welber subiriam ao apartamento do professor Vicente. O inspetor Welber estava com a chave. E lhe pediu que não comentasse com ninguém que eles estavam lá.

A sala ainda cheirava a bacalhau e vinho. Pelo estado da mesa, o jantar não fora tranquilo. Ali espalhados havia diversos medicamentos para distúrbios neurológicos e psiquiátricos, além de uma caixa de sapatos cheia de remédios com tarja preta na embalagem.

O telefonema de Anita para o delegado tarde da noite mostrara um evidente estado de perturbação, impossível de avaliar se normal ou patológico.

Recolheram os vários blocos de notas espalhados pelo apartamento. Eram uma espécie de diário onde estavam anotados os fatos do dia. Não eram temáticos nem parecia haver ligação entre eles; dispostos em pontos estratégicos da casa, eram usados para lembretes; serviam como local de fixação de eventos que não podiam ser esquecidos. Apesar do caráter disperso das notas, o material podia trazer alguma luz para os fatos recentes. Havia várias referências a Paula, algumas a Anita, várias ao delegado Espinosa, ao inspetor Welber, aos porteiros Francisco, Fernando, Frederico e Fabiano, com as datas assinaladas acima na página. Encontraram também as cadernetas pretas nas quais o professor comentava resumidamente suas próprias leituras, entre elas a caderneta contendo a lista dos nomes das dez mulheres, com o nome Fabiana circunscrito, citada por ele na primeira visita que fizera ao delegado.

O computador ainda estava ligado. Espinosa passou os olhos na página exibida na tela e comparou-a com a página do livro de Poe ao lado, apoiado numa estante de leitura, com um post-it colado indicando o ponto em que o professor parara. Era o último parágrafo que faltava para completar a tradução da coletânea de contos.

— Ainda não sabemos o que aconteceu, há portanto uma urgência nessa busca. Vou fazer uma leitura desses blocos, enquanto você faz o mesmo com as cadernetas. O objetivo é encontrar alguma indicação do que pretendia o professor ao retirar Anita deste apartamento, adormecida, numa cadeira de rodas, e levá-la para a avenida Atlântica no meio da noite. Não vamos mexer no computador, melhor deixar isso para o inspetor Chaves.

Espinosa colocou os blocos na parte livre da bancada de trabalho do professor, puxou a cadeira usada por ele e pegou umas folhas de papel da impressora para fazer anotações. A leitura era rápida porque às vezes havia apenas uma pequena anotação de duas ou três linhas em toda uma página; outras vezes, havia apenas o nome de uma pessoa e o de um local. Welber pusera as cadernetas no sofá da sala, mas, antes de lê-las, fez uma revista na sala e no quarto, nos armários onde eram guardados os remédios, nos armários de roupa, nas gavetas, numa mala de viagem, numa bolsa de lona, mas não encontrou nada indicativo das intenções do professor. Eram três horas quando começou a ler.

Meia hora depois de ter iniciado a leitura dos blocos, Espinosa ligou para a delegacia e mandou que entrassem imediatamente em contato com os bombeiros, pedindo uma pequena equipe de busca, um cão farejador e uma ambulância para a avenida Atlântica, calçada da praia, na altura da praça do Lido, onde devia estar estacionada uma patrulha da PM guardando uma cadeira de rodas. Deveriam pôr o cão farejador para cheirar a cadeira, depois descer com ele para a areia e fazê-lo farejar junto ao paredão.

— Que aconteceu, delegado?

— Welber, vamos deixar esse material aqui, depois voltamos para pegar.

— Aonde vamos, delegado?

— Voltar para a areia.

Trancaram o apartamento e seguiram em direção à praia, refazendo o trajeto que Welber havia percorrido até encontrar a cadeira de rodas.

Estavam na metade do caminho quando ouviram a sirene dos carros do Corpo de Bombeiros. Vieram dois caminhões pequenos com a equipe de busca e uma ambulância. Espinosa fez sinal para eles, mostrando o distintivo de policial. Os carros pararam e o delegado perguntou quem estava no comando. Um tenente se apresentou imediatamente.

— Se vocês tiverem espaço para nós dois, posso explicar do que se trata enquanto vamos para a praça do Lido.

— Claro que temos, delegado.

Um sargento passou para trás, e Espinosa e Welber entraram na frente, um pouco espremidos.

— O cão farejador veio?

— Sim, senhor. Foi difícil convencer Ulisses a sair a essa hora, mas, depois que ele sai, ninguém o segura até ele encontrar o que está procurando.

Espinosa explicou rapidamente o que achava que poderia ter acontecido com o casal.

Assim que chegaram ao local, as viaturas estacionaram em fila junto ao meio-fio, e a equipe desceu e isolou a parte da calçada onde estava a cadeira de rodas.

Enquanto Espinosa e Welber vasculhavam o apartamento do professor Vicente, dois PMs tinham percorrido uma extensão da praia equivalente a três quarteirões para a esquerda e três para a direita, a partir do ponto onde a cadeira de rodas fora encontrada, mas não puderam contar senão com o auxílio de outra patrulha que estava na área. Não conseguiram achar o casal.

— Delegado, a busca que fizemos foi muito precária, mas aqui por perto eles não estão.

— Obrigado, tenente. Mas eu mesmo os induzi ao erro. Pedi a vocês que procurassem um casal, mas é bastante provável que eles não sejam mais um casal. Vocês não tinham como encontrar um deles isoladamente.

Nesse momento, um dos soldados do Corpo de Bombeiros desceu com um perdigueiro e perguntou ao delegado se podia iniciar a busca.

— Sugiro começar por ali — disse Espinosa, apontando a cadeira de rodas. — Os dois chegaram até aqui nessa cadeira, ela sentada e ele empurrando.

O soldado levou o perdigueiro pela guia até a cadeira e disse:

— Aqui, Ulisses.

Ulisses cheirou a cadeira de ponta a ponta e saiu farejando pela calçada a partir do banco de pedra. Em seguida, o soldado pulou com ele para a areia e retirou a guia. Ulisses deu uma curta corrida em círculo, parou e farejou um trecho de areia e outro próximo e mais outro, e foi em linha reta, focinho junto à areia, até o paredão; andou um pouco de lado, cavou com as patas a areia que se juntara ao paredão; depois, olhou para o bombeiro que era seu treinador e se pôs a abanar o rabo e girar em torno de si mesmo. Dois dos soldados da equipe de buscas que estavam em cima do paredão pularam imediatamente para a areia com pás curtas mas largas e começaram a cavar cuidadosamente o ponto indicado por Ulisses, primeiro usando as mãos, para o caso de haver alguém ferido dentro do vão que iluminaram com lanternas elétricas. Um deles esticou o braço para fora e fez um sinal para os colegas, em seguida sumiu sob a calçada. Após alguns segundos, ressurgiu apressado.

— Tem uma mulher lá dentro, não dá para dizer se está viva ou não... Temos que puxá-la para fora em cima de uma maca... Não senti a respiração, mas não parece estar ferida.

Um soldado que descera da ambulância pulou para a areia e enfiou a cabeça e os braços pelo buraco. Anita estava bem debaixo de onde fora deixada a cadeira de rodas.

Minutos depois, Anita era retirada em cima de uma maca, já com um aparelho de respiração; um enfermeiro limpou a areia acumulada nos seus braços e colocou um aparelho para medir a pressão arterial, enquanto o outro braço foi preparado para uma injeção na veia.

Espinosa olhou para o enfermeiro que ajudara a tirá-la do buraco, o enfermeiro olhou para ele:

— Ainda está viva, delegado, mas inconsciente... Temos de levá-la com urgência para o hospital.

Tiraram o máximo possível de areia da roupa, do corpo e da cabeça e cabelos de Anita; puseram-na em outra maca e a levaram para a ambulância, onde lhe aplicaram soro, oxigênio, enquanto falavam com ela para testar suas reações.

— Para onde vocês vão levá-la? — perguntou Espinosa ao paramédico.

— Para o Miguel Couto, é o mais próximo e melhor equipado.

Espinosa esperou fecharem a porta da ambulância, ligarem a sirene e saírem para fazer o retorno. As viaturas permaneceram no local.

Ulisses estava deitado ao lado do seu treinador.

— Ainda tem o homem que veio empurrando a cadeira de

rodas — disse Espinosa. — Não sabemos se ele foi embora fugindo da cena ou se ainda está por perto. Ele padece de um distúrbio neurológico. Pode acontecer dele não se lembrar do que aconteceu e estar perdido. A única coisa de que dispomos para orientar Ulisses é também a cadeira de rodas, o homem ficou quase uma hora segurando o guidom; provavelmente foi ele quem sentou a moça nela...

O soldado conduziu novamente Ulisses até a cadeira, apontou com o dedo as duas extremidades do guidom e a parte de trás do encosto de couro. O cão cheirou os pontos indicados e pularam os dois para a areia. O treinador soltou a guia e Ulisses saiu farejando a área; voltou ao local onde tinha encontrado Anita; o policial deu-lhe uma ordem que Espinosa não entendeu mas que fez o perdigueiro mudar de direção e procurar outras pistas. Ele foi se afastando do ponto onde estavam, na direção do início da praia, no Leme; parou várias vezes para farejar em círculo e retomar o rumo anterior; também por várias vezes perdeu o rastro, voltou atrás e retomou a trilha que estava seguindo. Finalmente, parou na borda de um córrego que saía de um largo tubo de escoamento de águas pluviais e virou a cabeça para o treinador. O policial se apressou, seguido por Welber e Espinosa. Quando chegaram aonde Ulisses estava, o cão desceu a borda de areia formada pelo córrego e parou ao lado de Vicente, cujas pernas estavam dentro da água e a parte superior do corpo estendida sobre a areia, do outro lado do riacho que corria em direção ao mar.

— Provavelmente, na fuga no escuro, desorientado pelo estado de extrema tensão em que devia se encontrar, não viu ou não conseguiu ultrapassar a depressão formada pela língua de água e caiu. Em seguida teve uma crise — disse Espinosa.

Um paramédico que ficara para uma emergência chegou e, sem dizer nada, atravessou o córrego e virou o corpo de Vicente de barriga para cima. Verificou a pulsação, auscultou o pulmão, tirou do bolso do jaleco uma lanterna e verificou os olhos. Depois guardou a lanterna e o estetoscópio no bolso.

— Está morto, delegado. Só não dá para determinar a causa da morte. Há sinais de que ele teve uma crise convulsiva, talvez seguida de uma parada cardiorrespiratória, mas isso só pode ser confirmado pelo médico-legista.

Depois de cercarem o local, o tenente da PM designou uma dupla de soldados para ficar ali de guarda até o corpo ser retirado.

Espinosa sugeriu a Welber que eles dois levassem a cadeira de rodas para o apartamento do professor Vicente e pegassem os blocos e as cadernetas, que seriam de grande auxílio para darem início ao inquérito policial.

— Mais tarde, vou mandar o inspetor Chaves vir até aqui para ver o que poderá ser copiado do computador; me interessam principalmente as mensagens trocadas entre o professor Vicente e Anita.

Na saída, já de posse do material necessário e das chaves do apartamento, Espinosa propôs um café da manhã no bar em frente.

Estavam ambos cansados, mas sobretudo com fome. Pediram o que de melhor o pequeno restaurante tinha para oferecer. Quando relaxaram um pouco, Welber perguntou:

— Como o senhor teve a ideia de chamar o Corpo de Bombeiros e um cão farejador? Foi o que salvou a vida de Anita.

— Não fui eu que tive a ideia, foi o próprio professor Vicente. Estava logo no primeiro bloco que comecei a ler. Foi uma das fantasias delirantes que ele teve e anotou. Minha única contribuição foi o cão farejador. Agora quero ler com vagar os demais blocos. Eles contêm um número grande de anotações que Vicente fazia de tudo o que acontecia durante o dia e que ele considerava importante ser registrado pois não podia cair no esquecimento. São vários blocos repletos de anotações. As conversas que tinha pessoalmente ou por telefone, ele as transcrevia o mais fielmente possível, inclusive os comentários subjetivos que fizera a respeito. Embora abundante, é um material disperso, e contém algumas observações bizarras e curiosas, como, por exemplo: "Não há assassinato sem a presença do cadáver"; "Se um corpo humano for jogado no alto-forno de uma siderúrgica, não restará nada desse corpo a não ser fumaça que se dispersa. Assim, não havendo corpo, não há assassinato nem assassino". Outra: "A melhor maneira de ocultar um cadáver é lançá-lo aos jacarés e demais predadores habitantes das lagoas e dos rios às margens das estradas e das matas". Mais uma: "O inconveniente de enterrar um cadáver é o fato de mamíferos predadores desencavarem o corpo para comê-lo; é necessário cavar um buraco de sete palmos de fundura". E por aí vai. Nosso caro professor era chegado a observações sobre crimes e modos de eliminar um cadáver. Um deles é a narrativa de como ele poderia levar uma mulher numa cadeira de rodas para passear à noite na praia de Copacabana e fazer com ela o que os ambulantes fazem com a mercadoria que vendem durante o dia: eles cavam uma espécie de túnel na areia por baixo do paredão e escondem caixas de isopor, algumas grandes o bastante para nelas caber um corpo. Minha contribuição à fantasia dele foi a inclusão do cão farejador para a polícia encontrar o corpo. O curioso é que não há nos blocos pelos quais passei os olhos nenhuma referência a Fabiana, motivo da visita que ele nos fez para confessar um hipotético crime que teria cometido há dez anos. As referências a Anita são inicialmente tímidas e um tanto assustadas; em seguida, tornam-se elogiosas e cercadas de expectativas prazerosas. Em nenhum momento as observações dele fazem alusão a uma possível ameaça física a ela. A pessoa mais citada nos blocos é Paula. Os comentários sobre ela são ambíguos, algumas vezes agressivos, mas na maior parte das vezes são agradáveis. O problema é que parece existir não uma, mas várias Paulas. A impressão que me deu foi a de que "Paula" era uma espécie de palavra coringa; não tem como referência uma Paula específica nem uma mulher particular, mas um lugar vazio que pode ser ocupado por diferentes mulheres. Paula funciona como Fabiana.

— E a mulher que Anita diz ter visto correndo nua junto com Vicente na sala do apartamento dele? — perguntou Welber.

— Pode ser uma mulher que ele conheceu naquele mesmo dia...

— Quer dizer que a Fabiana, procurada viva ou morta, pode ser o nome de uma mulher-fantasma que nunca existiu, que em momento nenhum foi verdadeira? — indagou Welber.

— Ela pode ser verdadeira enquanto alucinação, enquanto algo vivido por ele como verdadeiro, mas não uma mulher real morta e esquartejada por ele — respondeu Espinosa.

— Isso significa que o professor Vicente é louco?

— Digamos que Fabiana seja a loucura do professor Vicente. No restante ele pode ser uma pessoa normal.

— E como fica Anita nessa história? — insistiu Welber.

— O professor Vicente é a loucura de Anita, só que, no caso, ambos existem realmente.

— Então... como vamos saber quem é louco e quem é normal?

— Ninguém é completamente louco nem ninguém é completamente normal. Cada pessoa tem sua loucura particular, que em uns é uma loucura light, modesta, intimista, e em outros é como uma tempestade tropical, impossível passar despercebida.

ESTA OBRA FOI COMPOSTA PELA SPRESS
EM GUARDIAN E IMPRESSA
PELA GEOGRÁFICA EM OFSETE SOBRE
PAPEL PAPERFECT DA SUZANO PAPEL
E CELULOSE PARA A EDITORA SCHWARCZ
EM DEZEMBRO DE 2014